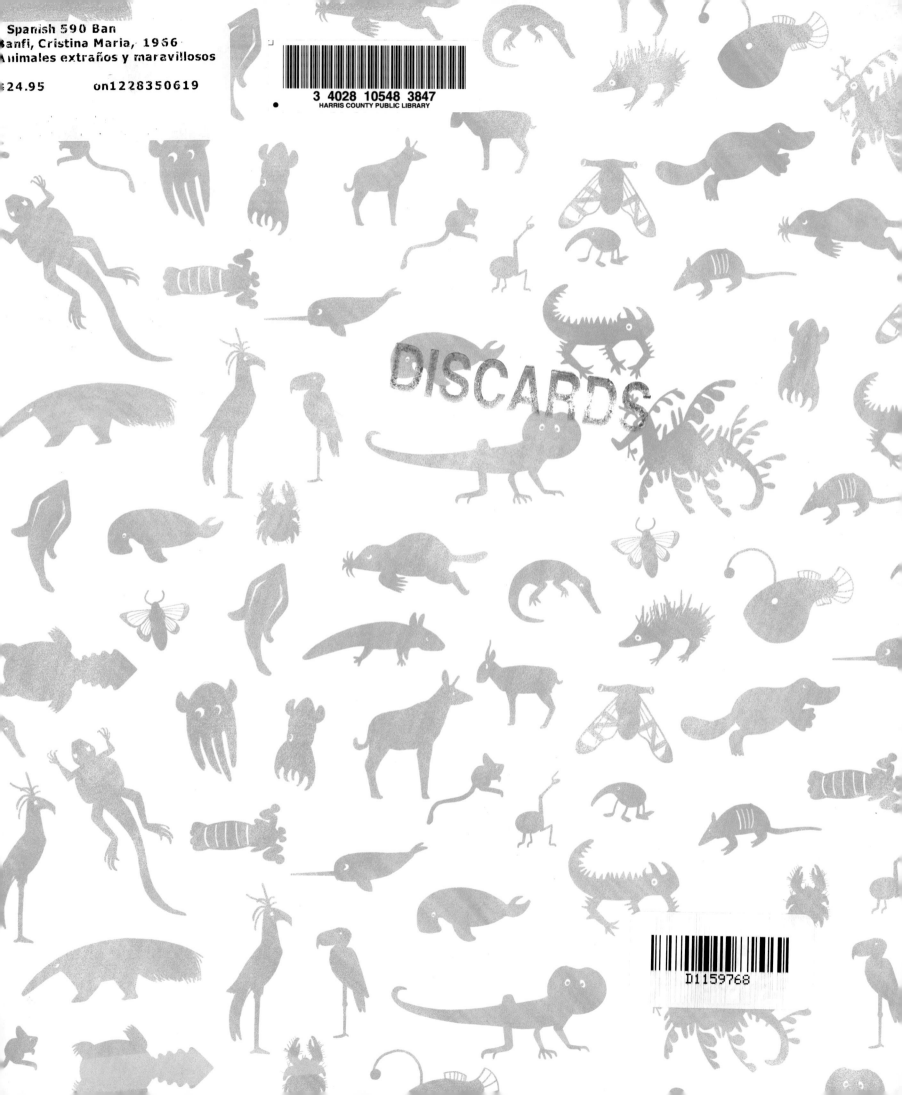

ANIMALES
EXTRAÑOS Y MARAVILLOSOS

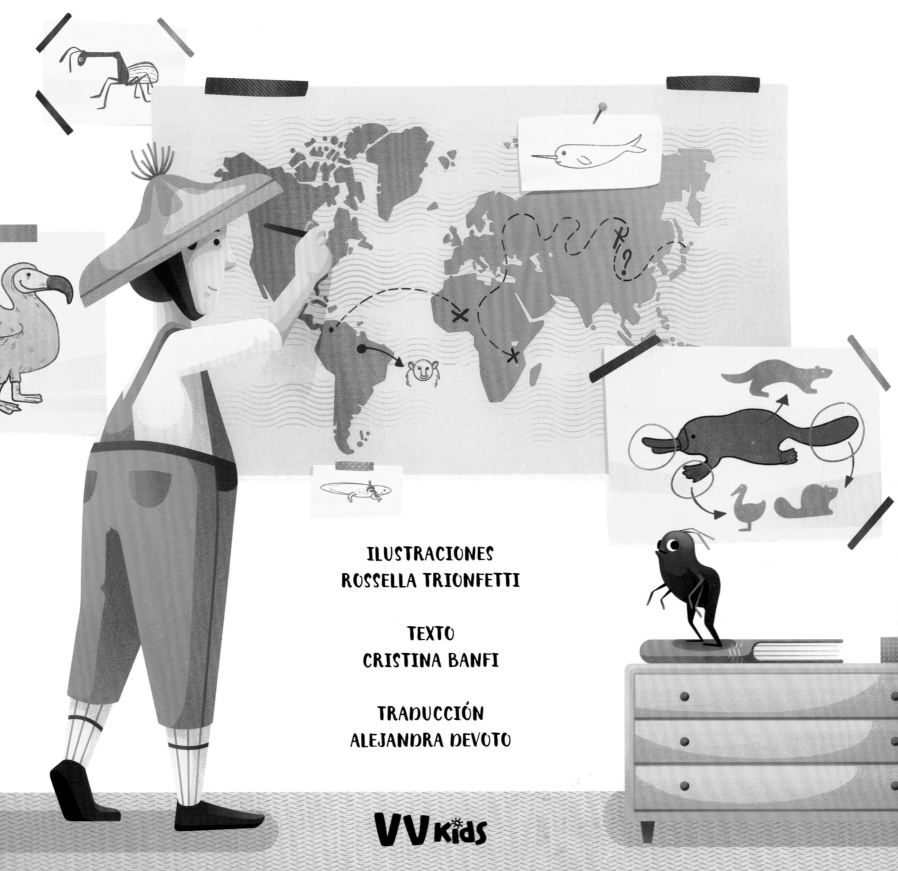

ILUSTRACIONES
ROSSELLA TRIONFETTI

TEXTO
CRISTINA BANFI

TRADUCCIÓN
ALEJANDRA DEVOTO

VVkids

ÍNDICE

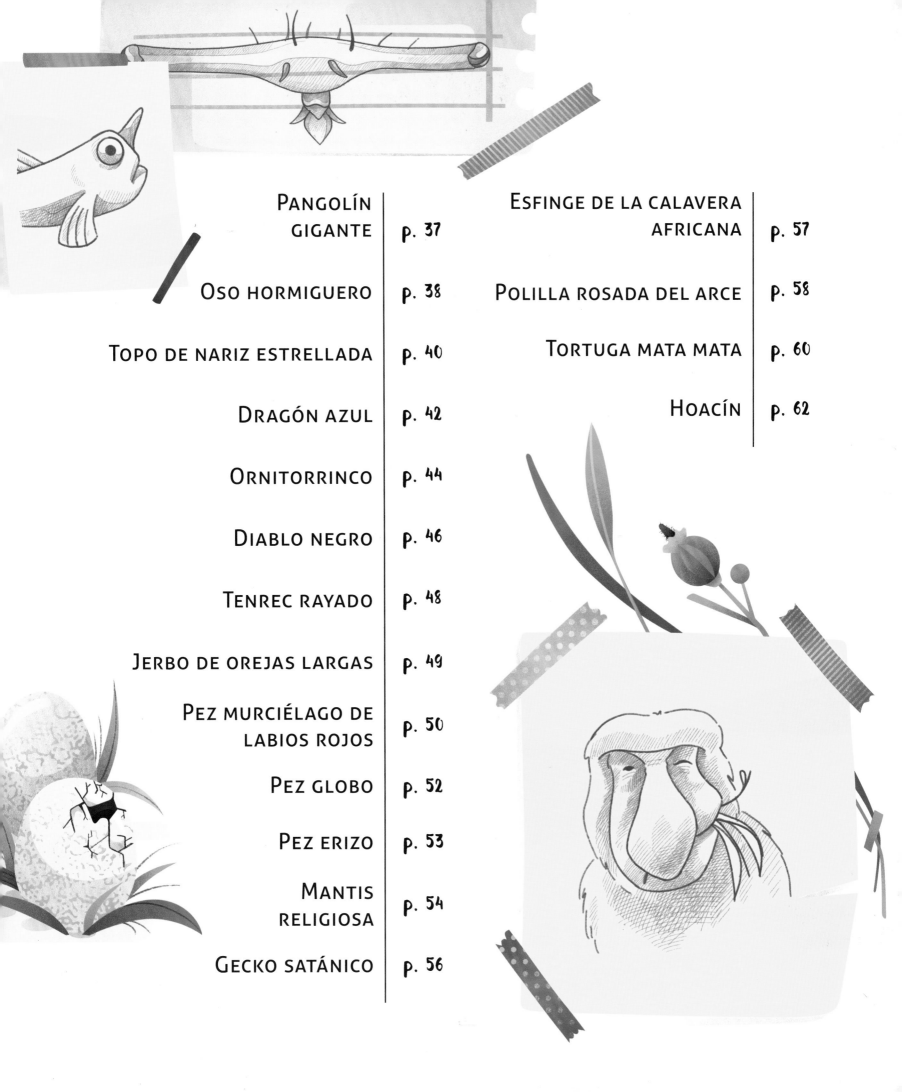

INTRODUCCIÓN

¡Bienvenidos
a mi diario, amigos!

Antes de nada, me presentaré: soy **naturalista**, y mi gran pasión es viajar por el mundo y descubrir animales sorprendentes entre las infinitas formas de vida que habitan nuestro **planeta**.

Si os gusta la **naturaleza** tanto como a mí, es probable que conozcáis muchos animales y sepáis cómo se llaman, cómo se comportan y qué aspecto tienen. Sin embargo, seguro que nunca habréis oído hablar de los seres extraordinarios que aparecen en este libro, que yo he podido conocer en el transcurso de mis exóticos viajes.

Todos ellos son animales fuera de lo común. Algunos tienen un aspecto gracioso, otros parecen criaturas terroríficas y otros resultan tan insólitos que os preguntaréis cómo consiguen sobrevivir.

Mientras observáis a estos seres extravagantes
sentiréis asombro, ternura, admiración e incluso
un poco de temor. ¡Pero sin duda
os parecerán fascinantes!

**También aprenderéis a analizar a los animales
desde un punto de vista científico y a apreciar
las singularidades de cada uno de ellos.**

Para acabar, quiero animaros a seguir mi ejemplo:
¡vosotros también podéis crear vuestro propio diario
y dibujar en él todas las especies de animales
que encontréis en vuestro día a día!

Os puedo asegurar que, si lo hacéis,
empezaréis a prestar mucha atención a los
pequeños detalles. Además, ¡os sorpenderéis
de la gran cantidad de **seres extraños**
que viven en vuestro propio
balcón o jardín!

**¿Estáis listos para empezar
la lectura y ampliar
vuestra lista de animales
favoritos?**

PULPO DUMBO

Tiene la cara ancha y redonda, los tentáculos pequeños y unos ojos inmensos: puede que sea el pulpo **más hermoso que existe en el mundo.**

A ambos lados de la cara muestra unas protuberancias que parecen orejas (de ahí su nombre, pues recuerda al elefante **Dumbo**), aunque en realidad se trata de aletas que le sirven para impulsarse en las profundidades del océano. ¡Es capaz de llegar a 7000 metros de profundidad!

PARTE INTERNA DE LOS TENTÁCULOS

NOMBRE CIENTÍFICO:
Grimpoteuthis bathynectes
TIPO DE ALIMENTACIÓN: *carnívoro*
LARGO: *30 centímetros*
HÁBITAT: *profundidades marinas*
ESPERANZA DE VIDA: *se desconoce*

SE ALIMENTA DE GUSANOS, CRUSTÁCEOS Y MOLUSCOS.

CALAMAR VAMPIRO

NOMBRE CIENTÍFICO:
Vampyroteuthis infernalis
TIPO DE ALIMENTACIÓN:
carnívoro y detritívoro
LARGO: *30 centímetros*
HÁBITAT: *profundidades marinas*
ESPERANZA DE VIDA:
se desconoce

El vampiro del que hablamos no tiene colmillos y no es nada sanguinario, porque... ¡es un **calamar**!

Sus largos tentáculos ondulan como una capa. Tiene la piel de color rojo oscuro con una franja violácea, la boca blanca y en forma de pico, y unos ojos rojos y hundidos: **se diría que ha salido de una pesadilla...**

¡CUANDO SE SIENTE AMENAZADO, ADOPTA ESTA FORMA!

EN REALIDAD, EL CALAMAR VAMPIRO ES UN SER TÍMIDO Y TRANQUILO.

Vive inmerso en la oscuridad, pero es capaz de producir su propia luz: dispone de un conjunto de órganos que puede encender cuando lo necesita. **Ante cualquier peligro, ¡un destello repentino ahuyentará a sus depredadores!**

PARTE INTERNA DE LOS TENTÁCULOS

AJOLOTE

El ajolote es una especie de **salamandra** que conserva durante toda su vida algunas características propias del **renacuajo**, como la aleta dorsal o las branquias, ya que jamás abandona el medio acuático.

EXISTEN AJOLOTES DE DISTINTOS COLORES.
AQUÍ TIENES DOS: UNO ROSADO Y UNO GRIS.

VIVE ÚNICAMENTE EN UN LAGO DE MÉXICO Y ESTÁ EN GRAVE PELIGRO DE EXTINCIÓN.

La cara del ajolote siempre parece **sonreír**. Su cuerpo tiene forma de **salchicha**.

NOMBRE CIENTÍFICO:
Ambystoma mexicanum
TIPO DE ALIMENTACIÓN:
carnívoro
LARGO:
30 centímetros como máximo
PESO:
200 gramos
HÁBITAT:
lago Xochimilco (México)
ESPERANZA DE VIDA: *15 años*

Como no tiene **párpados**, jamás cierra los saltones ojos negros. Tiene unos **penachos rosados** a ambos lados de la cabeza: son las branquias externas, que le sirven para **respirar**.

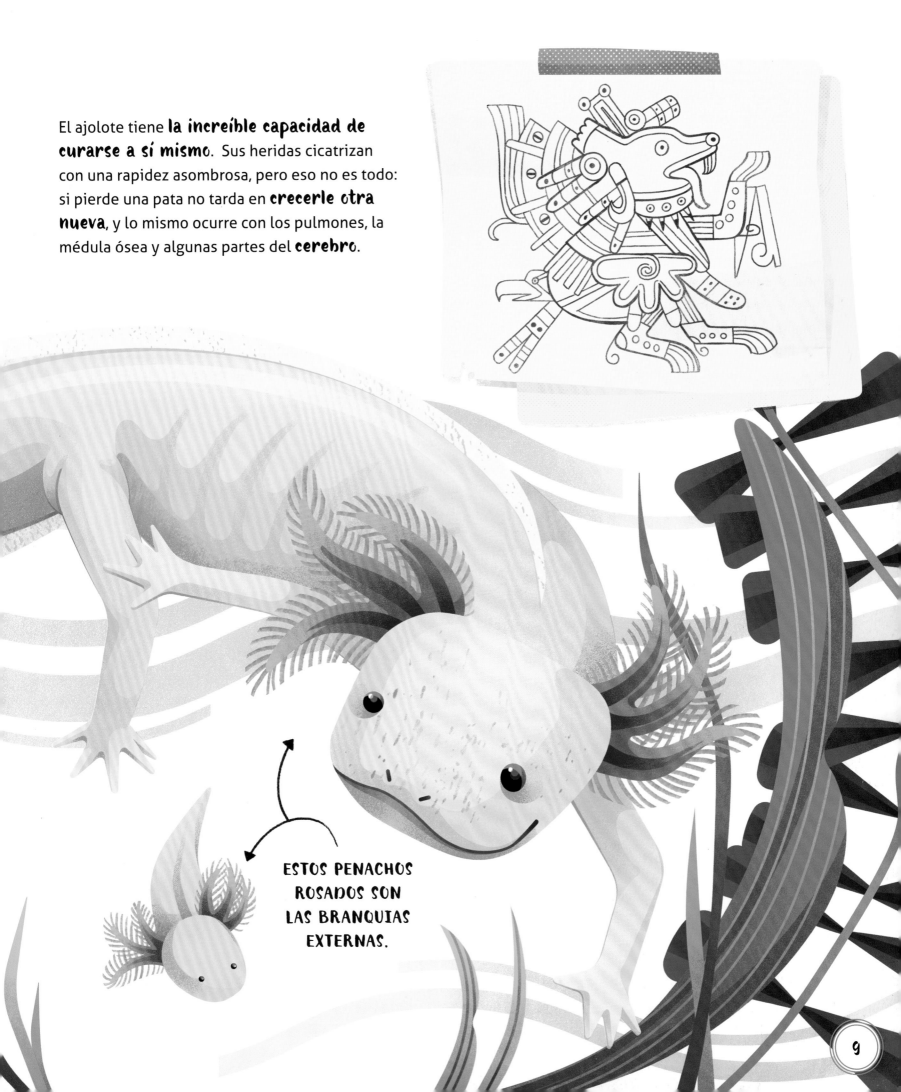

El ajolote tiene **la increíble capacidad de curarse a sí mismo**. Sus heridas cicatrizan con una rapidez asombrosa, pero eso no es todo: si pierde una pata no tarda en **crecerle otra nueva**, y lo mismo ocurre con los pulmones, la médula ósea y algunas partes del **cerebro**.

ESTOS PENACHOS ROSADOS SON LAS BRANQUIAS EXTERNAS.

9

OCAPI

Este mamífero tímido y asustadizo habita en el corazón de las frondosas selvas de **África Central**.

Las rayas blancas y negras que adornan sus patas os podrían recordar a una **cebra**, pero en realidad el ocapi tiene un parentesco mucho más estrecho con la **jirafa**.

Tiene el **cuello** corto, y unas **orejas** rectas y largas que se mueven de forma independiente entre sí, hecho que le permite oír a la vez sonidos procedentes de distintas direcciones.

¿POR QUÉ TIENE RAYAS COMO LA CEBRA? Le sirven para **camuflarse** entre las luces y sombras del bosque a fin de pasar desapercibido.

LA LENGUA ES OSCURA, ¡Y TAN LARGA QUE LE PERMITE LIMPIARSE LOS OJOS Y LAS OREJAS!

ANTÍLOPE SAIGA

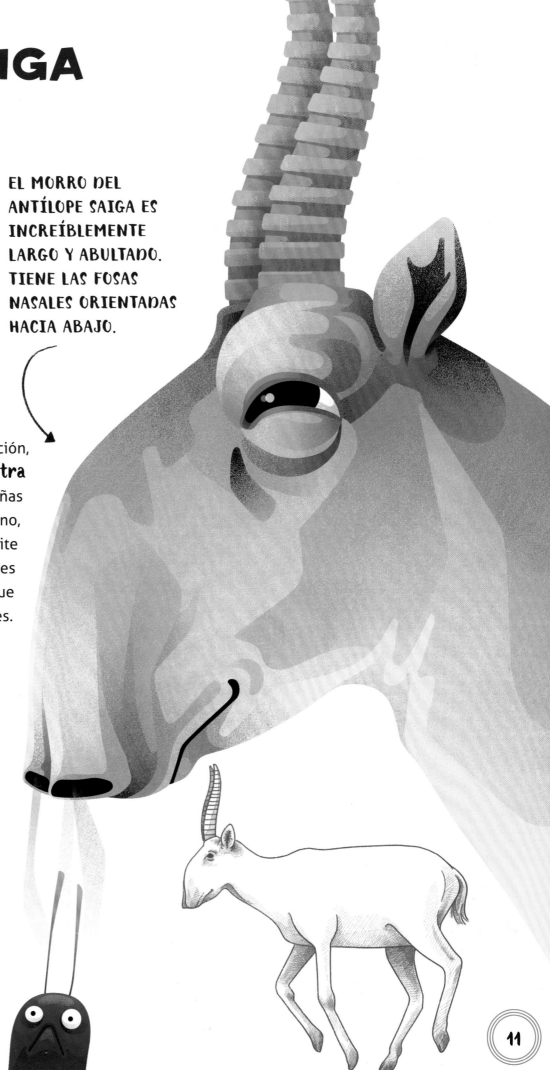

NOMBRE CIENTÍFICO:
Saiga tatarica
TIPO DE ALIMENTACIÓN:
herbívoro
LARGO: *1,2 metros*
PESO: *38 kilos*
HÁBITAT: *estepas*
ESPERANZA DE VIDA:
10 años

EL MORRO DEL ANTÍLOPE SAIGA ES INCREÍBLEMENTE LARGO Y ABULTADO. TIENE LAS FOSAS NASALES ORIENTADAS HACIA ABAJO.

En verano, durante la época de migración, la alargada nariz de este mamífero **filtra** el polvo que él mismo levanta con las pezuñas y limpia el aire que respira. En invierno, en cambio, le permite **calentar** el aire antes de que llegue a los pulmones.

La prominente nariz del antílope saiga no solo proporciona al animal un fino sentido del olfato: también actúa como caja de resonancia y amplifica el volumen de su **bramido**, que puede oírse desde muy lejos.

GAVIAL

NOMBRE CIENTÍFICO:

Gavialis gangeticus

TIPO DE ALIMENTACIÓN:

carnívoro

LARGO:

más de 6 metros

PESO: *250 kilos*

HÁBITAT: *ríos de aguas rápidas*

ESPERANZA DE VIDA:

de 40 a 60 años

Puedes encontrarte con este raro **cocodrilo** en las orillas de los ríos de la **India**. A diferencia de sus parientes africanos, el gavial tiene el hocico muy largo y extremadamente delgado.

HE AQUÍ LA CABEZA DE UN CAIMÁN Y LA DE UN COCODRILO: SON PRIMOS, PERO NO SE PARECEN TANTO.

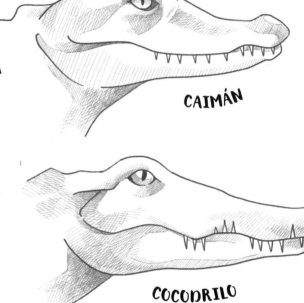

CAIMÁN

COCODRILO

En esta boca tan estrecha caben un **centenar de dientes**: son pequeños pero muy afilados, ideales para atrapar peces.

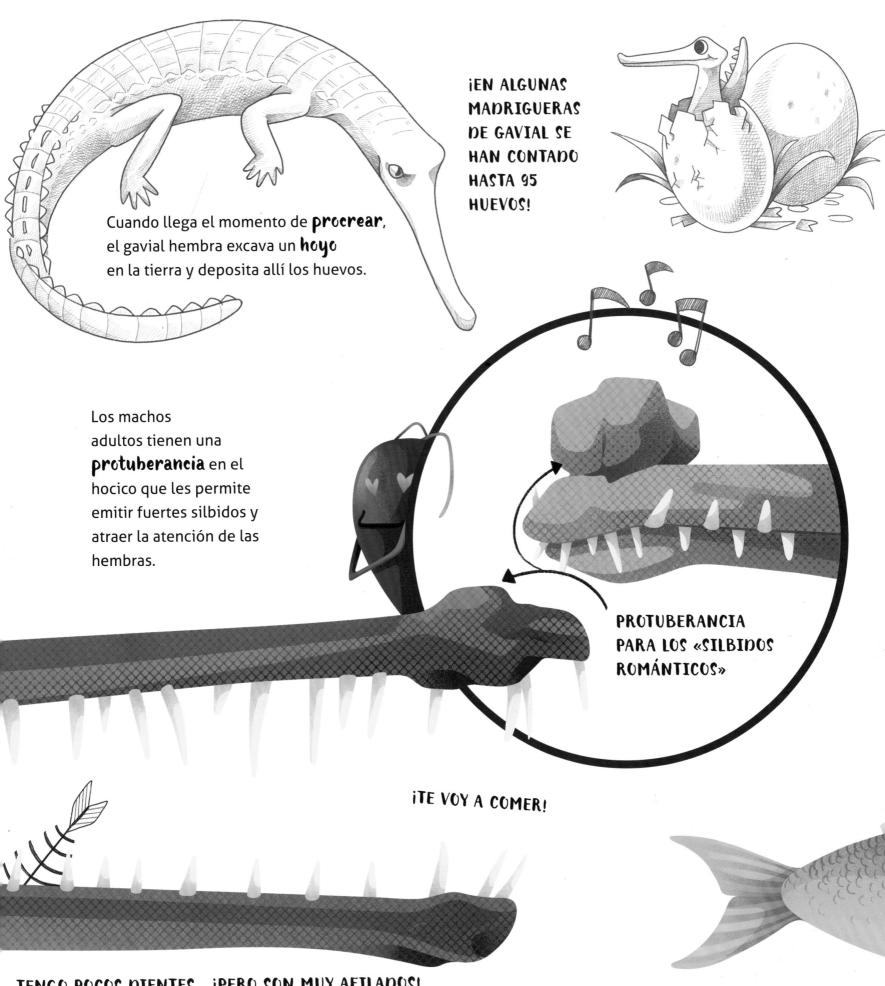

Cuando llega el momento de **procrear**, el gavial hembra excava un **hoyo** en la tierra y deposita allí los huevos.

¡EN ALGUNAS MADRIGUERAS DE GAVIAL SE HAN CONTADO HASTA 95 HUEVOS!

Los machos adultos tienen una **protuberancia** en el hocico que les permite emitir fuertes silbidos y atraer la atención de las hembras.

PROTUBERANCIA PARA LOS «SILBIDOS ROMÁNTICOS»

¡TE VOY A COMER!

TENGO POCOS DIENTES... ¡PERO SON MUY AFILADOS!

ESCARABAJO JIRAFA

Entre las matas y los arbustos de **Madagascar** vive un insecto que se parece mucho a una minúscula jirafa: tiene el cuello exageradamente largo en comparación con el cuerpo, que apenas mide 2,5 centímetros de largo. Este coleóptero singular es de color negro y tiene el dorso de un color rojo muy llamativo.

¡EL CUELLO DE UN EJEMPLAR MACHO ES TRES VECES MÁS LARGO QUE EL DE UN EJEMPLAR HEMBRA!

NOMBRE CIENTÍFICO:
Trachelophorus giraffa
TIPO DE ALIMENTACIÓN:
herbívoro
ALTURA: *2,5 centímetros*
HÁBITAT: *selvas tropicales*
DURACIÓN DE LA VIDA:
se desconoce

¿POR QUÉ TIENE EL CUELLO TAN LARGO?

Lo usa para combatir con otros machos y parece que a las hembras de su especie les resulta muy atractivo...

Este cuello tan largo también le resulta útil cuando llega el momento de construir un **nido**: le permite enrollar sin dificultad una **hoja** del árbol en el que vive para que la hembra deposite en el interior un único y minúsculo **huevo**.

NOMBRE CIENTÍFICO:
Plagiocephalus latifrons
TIPO DE ALIMENTACIÓN:
carnívoro
LARGO: *entre 5 y 8 milímetros*
HÁBITAT: *bosques*
ESPERANZA DE VIDA:
se desconoce

MOSCA CABEZA DE MARTILLO

Estas moscas parecen salidas de una película de ciencia ficción. Tienen los **ojos** tan separados entre sí ¡que sorprende que puedan volar!

GORGOJO GIGANTE DE PERÚ

He aquí un insecto que luce con orgullo una nariz curva y larga. Aunque su aspecto resulta simpático, los agricultores no quieren verlo ni en pintura porque temen su **voraz apetito**. ¡Las plagas de gorgojos son capaces de devorar plantaciones enteras de bambú y caña de azúcar!

Al final de la larga nariz, llamada **«pico»**, se encuentra la boca, preparada para triturar con rapidez una gran cantidad de **vegetales**.

PICO

NOMBRE CIENTÍFICO:
Rhinastus latesternus
TIPO DE ALIMENTACIÓN:
herbívoro
LARGO:
hasta 3 centímetros
HABITAT: bosques
ESPERANZA DE VIDA:
se desconoce

EL TAMAÑO DE LAS PATAS TAMBIÉN ES SORPRENDENTE. DE HECHO, SE LE CONOCE CON EL APODO «PIES LARGOS».

Solo los **machos** tienen los ojos tan exageradamente separados (¡hasta cinco veces la longitud del cuerpo!).

USAN LA CABEZA PARA COMPETIR ENTRE SÍ Y ATRAER A LAS HEMBRAS. ¡LOS MÁS ATRACTIVOS SON LOS MÁS CABEZONES!

NARVAL

En las frías aguas del **círculo polar ártico** viven una gran variedad de **cetáceos**. Algunos de ellos tienen un largo colmillo que les sobresale de la boca y acostumbra a nadar en grupo. Antiguamente, los marineros conocían a este tipo de cetáceos con el nombre de «**unicornios marinos**».

¿POR QUÉ LOS NARVALES MACHO TIENEN UN COLMILLO TAN LARGO Y RETORCIDO?

Es muy probable que les sirva para llamar la atención de las hembras y también, de paso, para medir la temperatura del agua. Pero ¡no tiene que resultar fácil nadar con un colmillo de casi **dos metros y medio de largo**!

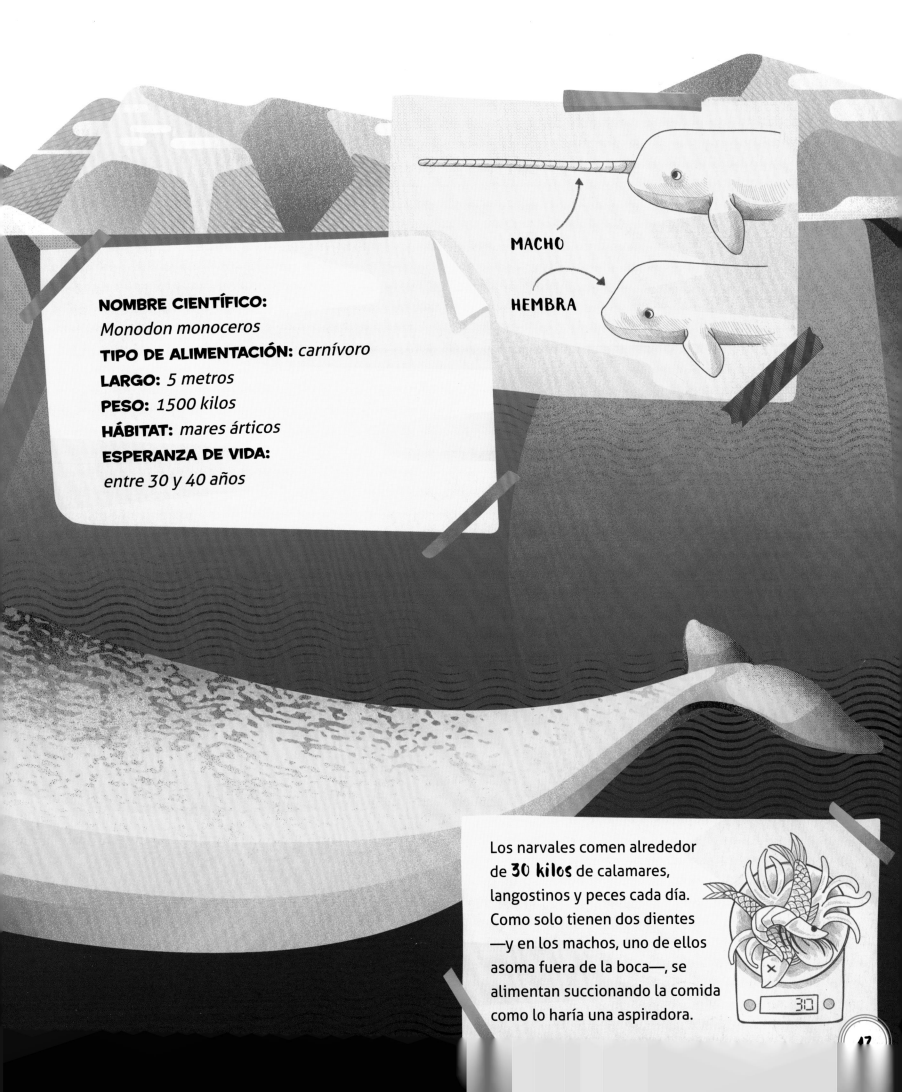

MACHO

HEMBRA

NOMBRE CIENTÍFICO:
Monodon monoceros
TIPO DE ALIMENTACIÓN: *carnívoro*
LARGO: *5 metros*
PESO: *1500 kilos*
HÁBITAT: *mares árticos*
ESPERANZA DE VIDA:
entre 30 y 40 años

Los narvales comen alrededor de **30 kilos** de calamares, langostinos y peces cada día. Como solo tienen dos dientes —y en los machos, uno de ellos asoma fuera de la boca—, se alimentan succionando la comida como lo haría una aspiradora.

SECRETARIO

NOMBRE CIENTÍFICO:
Sagittarius serpentarius
TIPO DE ALIMENTACIÓN: *carnívoro*
ALTURA: *1,5 metros*
ANCHO CON LAS ALAS ABIERTAS:
más de 2 metros
PESO: *5 kilos*
HÁBITAT: *praderas y sabanas africanas*
ESPERANZA DE VIDA: *15 años*

En la **sabana africana** vive un pájaro que parece un **águila** con largas patas de **cigüeña**, y que luce un vistoso penacho de plumas sobre la cabeza.

Es enemigo mortal de las **serpientes**, y cuando se enfrenta a ellas usa las alas como escudo y lanza rápidas patadas. Al final, siempre sale vencedor.

El secretario es el ave de rapiña que tiene las patas más largas, y sabe sacar partido de esta cualidad para **cazar**. En lugar de caer desde el aire sobre sus presas, las atrapa en tierra y las golpea hasta dejarlas aturdidas.

ADEMÁS DE SERPIENTES, TAMBIÉN SUELE COMER ALGUNOS ANFIBIOS Y PEQUEÑOS MAMÍFEROS COMO LOS RATONES.

PICOZAPATO

En las ciénagas de África vive un pájaro de largas patas y misterioso aspecto. Tiene un pico enorme, de color amarillo con motas oscuras, ¡que parece un **zueco**!

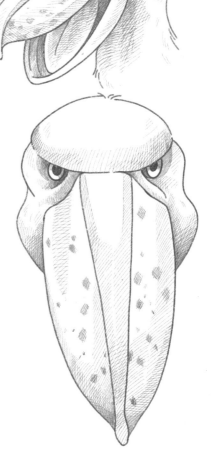

A PESAR DE SU ASPECTO AMENAZADOR, ES UN AVE MUY TÍMIDA.

El picozapato es un **pájaro zancudo**. Tiene la cabeza grande y un pico fuera de lo común, que mide **20 centímetros** de largo y está rematado por un afilado **gancho** de aspecto temible: ¡es la mejor herramienta para pescar!

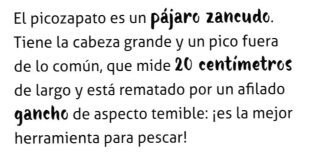

NOMBRE CIENTÍFICO:
Balaeniceps rex
TIPO DE ALIMENTACIÓN:
carnívoro
ALTURA: *1,5 metros*
ANCHO CON LAS ALAS ABIERTAS: *2,6 metros*
PESO: *7 kilos*
HÁBITAT: *zonas pantanosas de África central*
ESPERANZA DE VIDA: *35 años*

Durante la **noche**, el picozapato camina por las aguas de poca profundidad con el pico apuntando hacia abajo, listo para hundirse rápidamente y atrapar un **pez**, una **rana** o un **cocodrilo pequeño**.

HORMIGA PANDA

El color blanco y negro de este insecto nos recuerda al de un **panda**, de ahí su nombre. Por otra parte, su cuerpo parece recubierto de **pelo**, y por eso se le llama también **«hormiga de terciopelo»**.

La hormiga panda puede parecer hermosa e inofensiva, pero su **picadura** es realmente dolorosa y, además, el aguijón de las hembras contiene **veneno**. En realidad, este insecto es una **avispa**, y los colores de su abdomen, una señal de peligro: avisan a los depredadores de que no se acerquen.

NOMBRE CIENTÍFICO:
Euspinolia militaris
TIPO DE ALIMENTACIÓN:
carnívoro en fase de larva;
nectarívoro en fase adulta
LARGO: *8 milímetros*
HÁBITAT: *zonas de clima templado*
ESPERANZA DE VIDA:
2 años

LA HEMBRA NO TIENE ALAS Y DEPOSITA LOS HUEVOS CERCA DE LAS LARVAS DE OTROS INSECTOS QUE ANIDAN EN EL SUELO. ESTAS LARVAS SERVIRÁN DE ALIMENTO A LAS FUTURAS CRÍAS.

¡ES UN AUTÉNTICO PARÁSITO!

HORMIGA DE LA MIEL

Muchos insectos almacenan alimentos en el nido. La **hormiga de la miel**, en cambio, usa su propio cuerpo como un **depósito viviente**, y lo pone a disposición del hormiguero en los casos de necesidad.

Algunas hormigas jóvenes son alimentadas hasta que su vientre se hincha de una forma exagerada: se convierten, así, en "hormigas depósito".

CUANDO HACE FALTA, LAS HORMIGAS OBRERAS ACARICIAN LAS ANTENAS DE LA HORMIGA DEPÓSITO, QUE REGURGITA EL LÍQUIDO ALMACENADO PARA QUE EL RESTO PUEDA CONSUMIRLO.

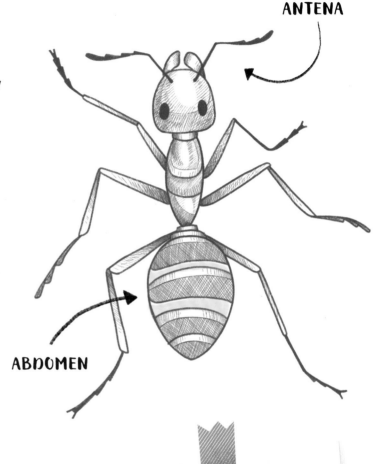

ANTENA

ABDOMEN

NOMBRE CIENTÍFICO:
Camponotus inflatus
TIPO DE ALIMENTACIÓN:
herbívoro
LARGO: *15 milímetros*
HÁBITAT: *zonas desérticas*
ESPERANZA DE VIDA:
se desconoce

DUGONGO

Este animal enorme y de aspecto pacífico habita en las cálidas aguas del **mar Rojo**.

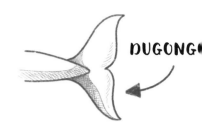

DUGONGO

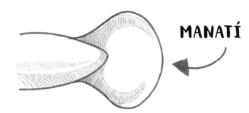

MANATÍ

Con movimientos lentos, remueve y barre con la boca el fondo del mar en busca de algas. Come tanto que lo suelen llamar **«vaca marina»**.

SE PARECE A UNA FOCA REGORDETA.

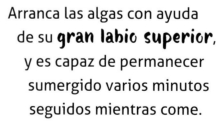

Arranca las algas con ayuda de su **gran labio superior**, y es capaz de permanecer sumergido varios minutos seguidos mientras come.

El **gas** que se acumula en el estómago del dugongo cuando hace la digestión lo ayuda a flotar.

NOMBRE CIENTÍFICO: *Dugong dugon*

TIPO DE ALIMENTACIÓN: *herbívoro*

LARGO: *4 metros*

PESO: *900 kilos*

HÁBITAT: *océanos y mares cálidos de las costas de África y Australia*

ESPERANZA DE VIDA: *70 años*

LOS DUGONGOS MACHO COMBATEN ENTRE SÍ CON VIOLENTOS EMPUJONES PARA IMPRESIONAR A LAS HEMBRAS.

23

BASILISCO VERDE

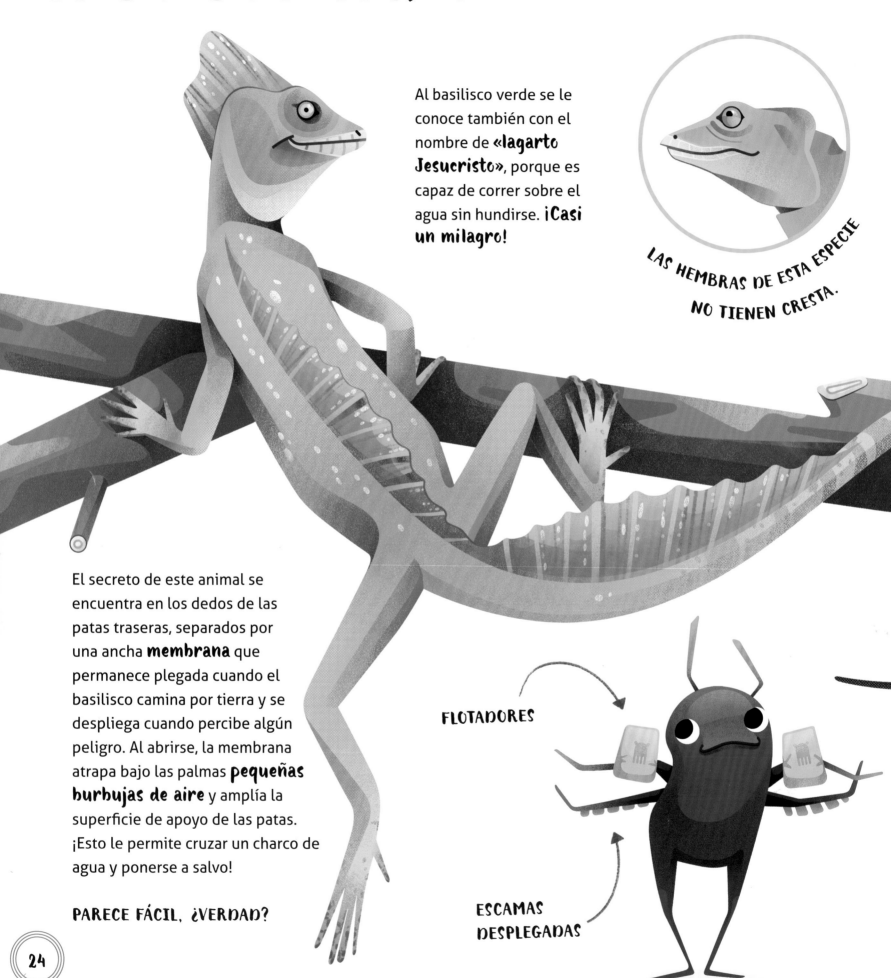

Al basilisco verde se le conoce también con el nombre de **«lagarto Jesucristo»**, porque es capaz de correr sobre el agua sin hundirse. **¡Casi un milagro!**

LAS HEMBRAS DE ESTA ESPECIE NO TIENEN CRESTA.

El secreto de este animal se encuentra en los dedos de las patas traseras, separados por una ancha **membrana** que permanece plegada cuando el basilisco camina por tierra y se despliega cuando percibe algún peligro. Al abrirse, la membrana atrapa bajo las palmas **pequeñas burbujas de aire** y amplía la superficie de apoyo de las patas. ¡Esto le permite cruzar un charco de agua y ponerse a salvo!

PARECE FÁCIL, ¿VERDAD?

FLOTADORES

ESCAMAS DESPLEGADAS

NOMBRE CIENTÍFICO:

Basiliscus plumifrons

TIPO DE ALIMENTACIÓN:

omnívoro

LARGO: *75 centímetros*

HÁBITAT:

selvas tropicales

ESPERANZA DE VIDA:

10 años

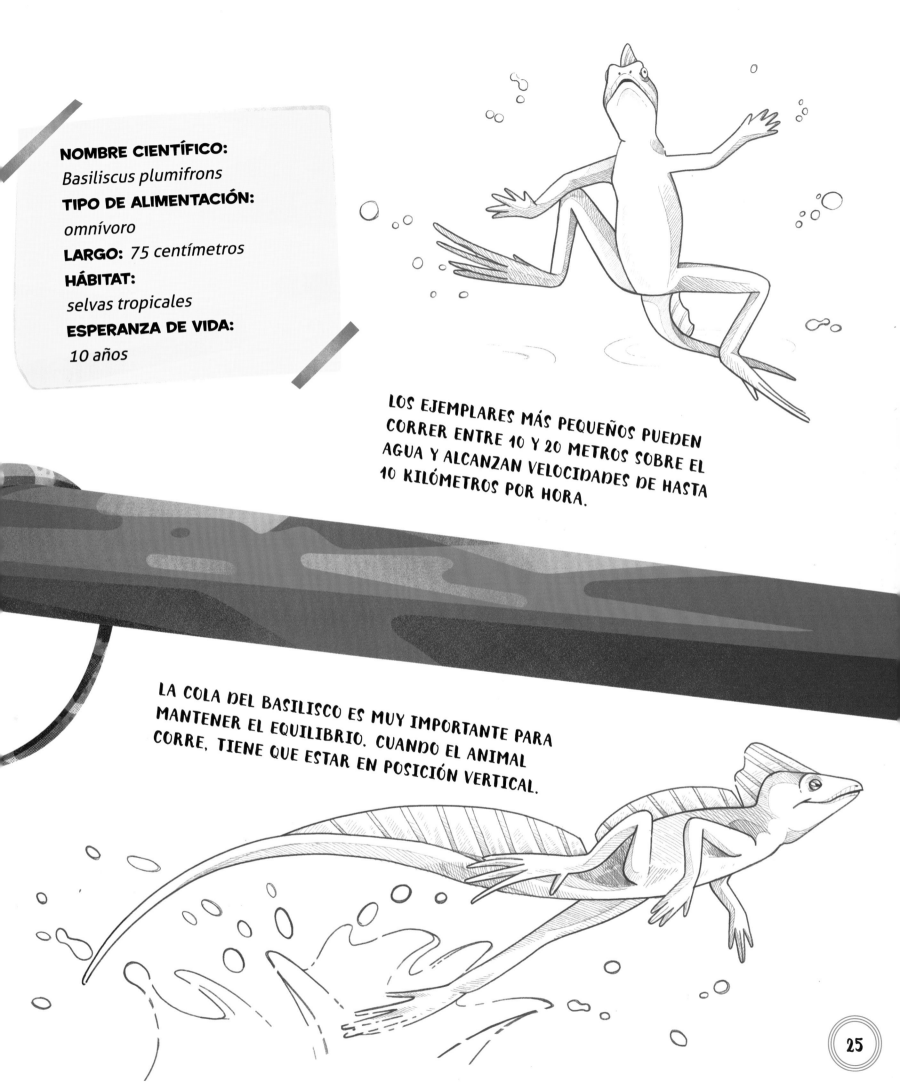

LOS EJEMPLARES MÁS PEQUEÑOS PUEDEN CORRER ENTRE 10 Y 20 METROS SOBRE EL AGUA Y ALCANZAN VELOCIDADES DE HASTA 10 KILÓMETROS POR HORA.

LA COLA DEL BASILISCO ES MUY IMPORTANTE PARA MANTENER EL EQUILIBRIO. CUANDO EL ANIMAL CORRE, TIENE QUE ESTAR EN POSICIÓN VERTICAL.

DIABLO ESPINOSO

Cuando se camufla en el ambiente seco del desierto, cuesta mucho distinguirlo. Parece una **rama fina** con motas doradas, seca y cubierta de espinas, pero en realidad es un pequeño **lagarto** de aspecto prehistórico que lo observa todo con sus minúsculos ojos negros.

NOMBRE CIENTÍFICO:
Moloch horridus
TIPO DE ALIMENTACIÓN:
insectívoro
LARGO: *18 centímetros*
HÁBITAT: *desiertos*
ESPERANZA DE VIDA:
entre 6 y 20 años

Tiempo atrás se creía que las púas que recubren el cuerpo de este animal servían para protegerlo de los depredadores. Ahora sabemos que, en realidad, las utiliza para mantener la valiosa **humedad** que se condensa en su piel durante las horas más frescas de la noche.

EL COLOR DE LA PIEL CAMBIA EN FUNCIÓN DE LA TEMPERATURA DEL AMBIENTE: POR LA MAÑANA ES VERDOSO O MARRÓN, Y POR LA TARDE, CUANDO LLEGAN LAS HORAS MÁS CALUROSAS DEL DÍA, AMARILLO.

CLAMIDOSAURIO DE KING

Si te acercas a un **lagarto** y de pronto ves que su cabeza se vuelve gigantesca, probablemente lo primero que harás es echar a correr. Pero puedes estar tranquilo: no se trata de un monstruo, sino de un dragón con gorguera.

Cuando percibe un **peligro**, el clamidosaurio abre la boca tanto como puede y eriza el ancho collar de piel que tiene en torno al **cuello**. Cuando está en reposo, en cambio, el collar descansa sobre sus hombros como si fuera una **capa**.

¡Este sencillo **truco** le sirve para parecer más grande y amenazador!

NOMBRE CIENTÍFICO:
Chlamydosaurus kingii
TIPO DE ALIMENTACIÓN:
carnívoro
LARGO: *87 centímetros*
PESO: *700 gramos*
HÁBITAT: *selvas tropicales de Australia*
ESPERANZA DE VIDA:
aproximadamente 10 años

CUANDO ESTÁ TOTALMENTE DESPLEGADO, EL MANTO DE PIEL TIENE UN DIÁMETRO SUPERIOR AL DE UNA PELOTA DE BALONCESTO.

CANGREJO YETI

Este pequeño ser **blanco, ciego y peludo** vive en el fondo del océano Antártico, en plena oscuridad, aunque no en aguas heladas: permanece siempre cerca de las fuentes termales de las chimeneas volcánicas submarinas.

NOMBRE CIENTÍFICO:
Kiwa tyleri

TIPO DE ALIMENTACIÓN:
carnívoro

LARGO: entre 0,5 y 15 centímetros

HÁBITAT: zona próxima a las chimeneas hidrotermales marinas

ESPERANZA DE VIDA:
se desconoce

En un hábitat tan complicado, el cangrejo yeti ha encontrado una óptima solución para conseguir **comida**: la cultiva sobre su propio cuerpo.

TIENE EL DORSO Y LAS EXTREMIDADES RECUBIERTOS POR UNOS FILAMENTOS QUE ATRAEN A LAS BACTERIAS, SU PRINCIPAL FUENTE DE ALIMENTO.

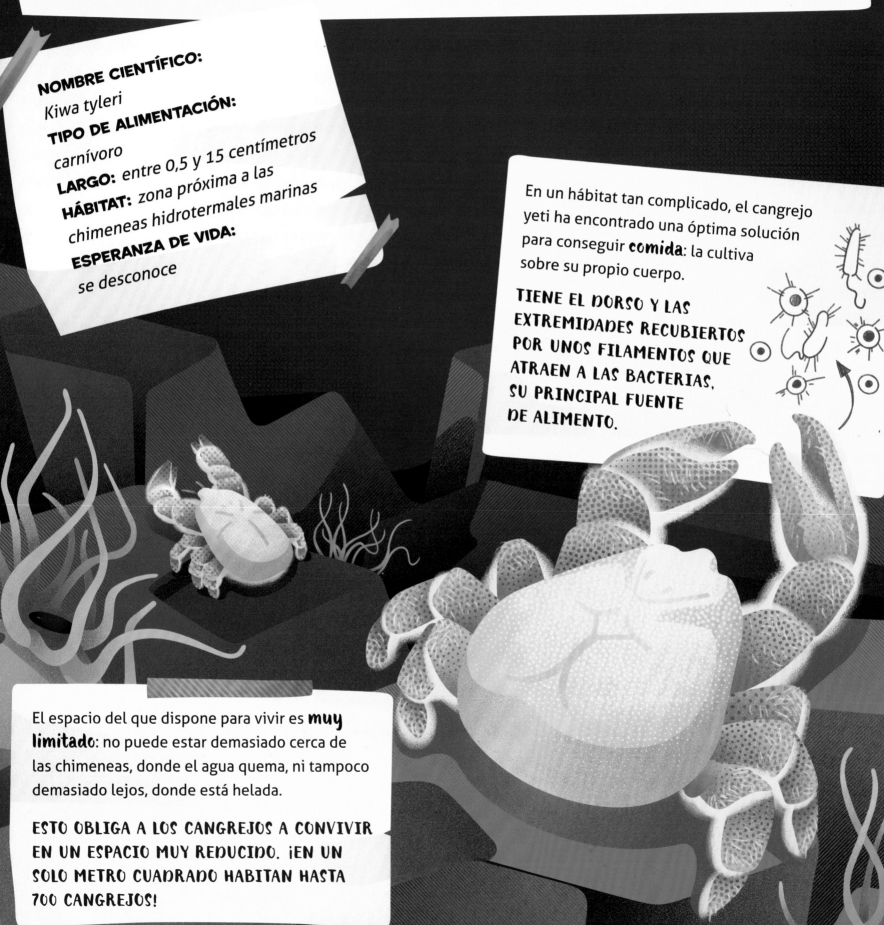

El espacio del que dispone para vivir es **muy limitado**: no puede estar demasiado cerca de las chimeneas, donde el agua quema, ni tampoco demasiado lejos, donde está helada.

ESTO OBLIGA A LOS CANGREJOS A CONVIVIR EN UN ESPACIO MUY REDUCIDO. ¡EN UN SOLO METRO CUADRADO HABITAN HASTA 700 CANGREJOS!

GAMBA MANTIS

Esta exótica gamba lleva el apellido de un insecto, la mantis religiosa, aunque en realidad es un **crustáceo**. Tiene las garras **rojas**, los ojos azules, las antenas **anaranjadas** y el cuerpo a rayas con motas **verde oliva**: ¡hay tantos **colores** en su cuerpo que parece la paleta de un pintor!

La gamba mantis debe su nombre a las enormes **garras** que tiene, muy semejantes a las que usa la **mantis religiosa** para aferrar a sus presas.

¡SOCORRO!

La gamba las usa para **romper el caparazón** de los moluscos y para apresar peces y otros animales pequeños.

RÉCORD
SOY DE LOS MÁS VELOCES DEL REINO ANIMAL.

SU GOLPE ES EL MÁS RÁPIDO Y LETAL DEL REINO ANIMAL: ¡PUEDE ALCANZAR 80 KILÓMETROS DE VELOCIDAD!

NOMBRE CIENTÍFICO:
Odontodactylus scyllarus
TIPO DE ALIMENTACIÓN: *carnívoro*
LARGO: *entre 3 y 18 centímetros*
HÁBITAT: *lechos marinos cálidos, a una profundidad de entre 3 y 40 metros*
ESPERANZA DE VIDA:
entre 4 y 6 años

DRAGÓN DE MAR FOLIÁCEO

El dragón de mar foliáceo es un maestro del **camuflaje**. De su torso brotan, como si fueran hojas, unas protuberancias de color verdoso que le permiten confundirse miméticamente con las **algas** del lecho marino en el que vive. Se oculta tan bien que los depredadores casi nunca lo atrapan.

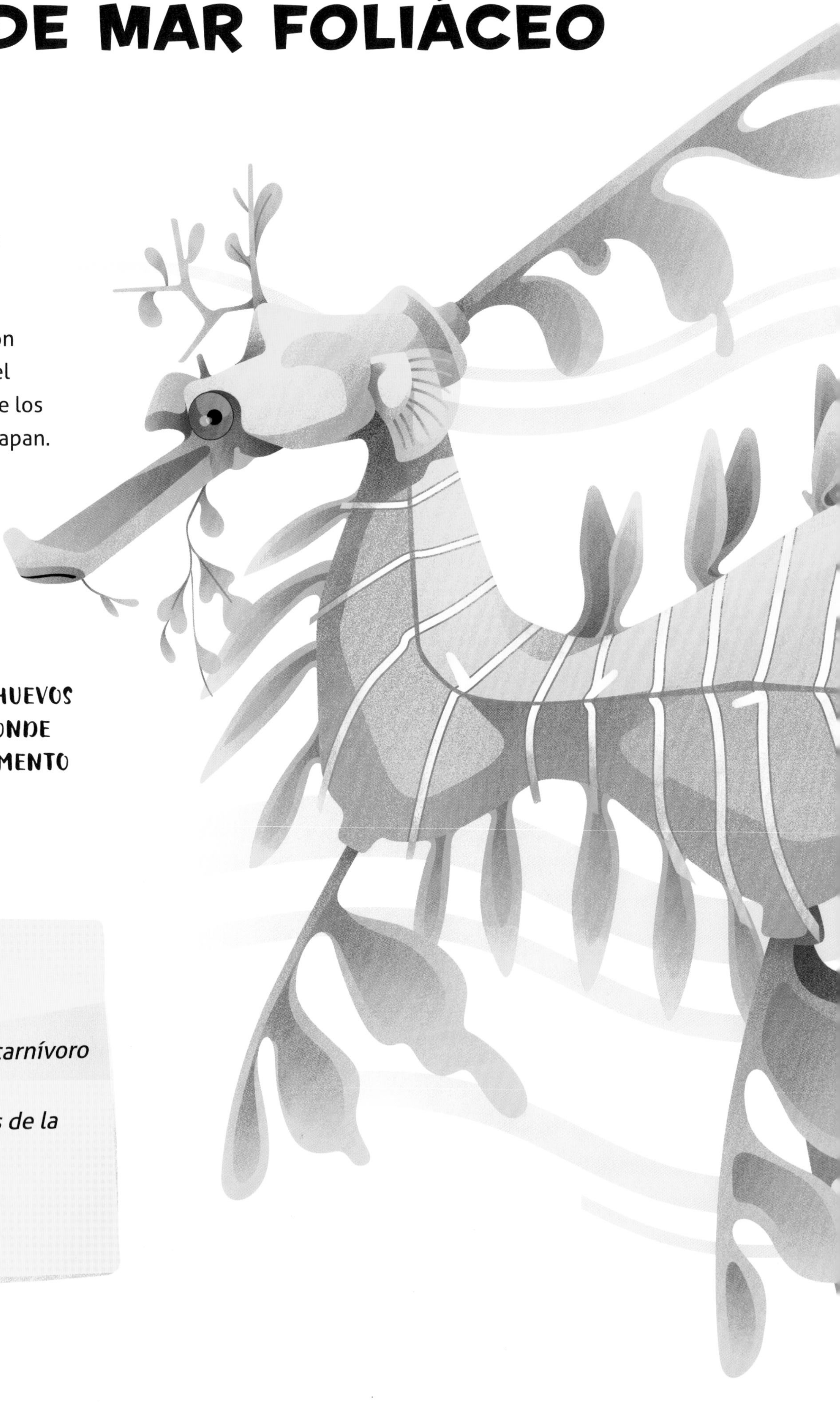

HOCICO TUBULAR

LA HEMBRA DEPOSITA LOS HUEVOS EN LA COLA DEL MACHO, DONDE PERMANECEN HASTA EL MOMENTO DE LA ECLOSIÓN.

NOMBRE CIENTÍFICO:
Phycodurus eques

TIPO DE ALIMENTACIÓN: *carnívoro*

LARGO: *35 centímetros*

HÁBITAT: *aguas templadas de la costa de Australia*

ESPERANZA DE VIDA:
se desconoce

CAMBIA DE COLOR A LO LARGO DE SU VIDA: LAS CRÍAS SON VERDES Y LOS EJEMPLARES ADULTOS DE COLOR AMARILLO.

A PESAR DE SU REDUCIDO TAMAÑO, ES UN ANIMAL CARNÍVORO.

Con el largo hocico en forma de tubo, succiona a sus presas hacia el interior de la boca. Se alimenta de **crustáceos**, de **plancton** y de **peces pequeños**.

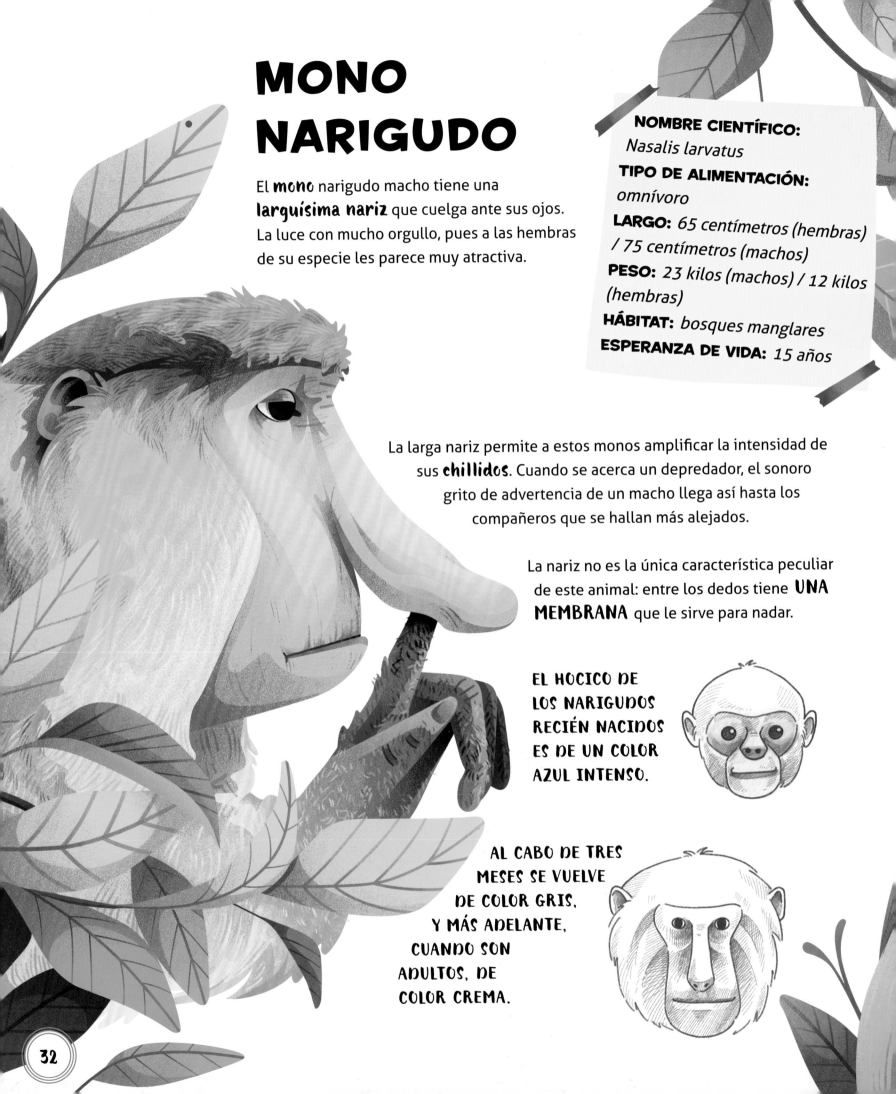

MONO NARIGUDO

El **mono** narigudo macho tiene una **larguísima nariz** que cuelga ante sus ojos. La luce con mucho orgullo, pues a las hembras de su especie les parece muy atractiva.

NOMBRE CIENTÍFICO: Nasalis larvatus

TIPO DE ALIMENTACIÓN: omnívoro

LARGO: 65 centímetros (hembras) / 75 centímetros (machos)

PESO: 23 kilos (machos) / 12 kilos (hembras)

HÁBITAT: bosques manglares

ESPERANZA DE VIDA: 15 años

La larga nariz permite a estos monos amplificar la intensidad de sus **chillidos**. Cuando se acerca un depredador, el sonoro grito de advertencia de un macho llega así hasta los compañeros que se hallan más alejados.

La nariz no es la única característica peculiar de este animal: entre los dedos tiene **UNA MEMBRANA** que le sirve para nadar.

EL HOCICO DE LOS NARIGUDOS RECIÉN NACIDOS ES DE UN COLOR AZUL INTENSO.

AL CABO DE TRES MESES SE VUELVE DE COLOR GRIS, Y MÁS ADELANTE, CUANDO SON ADULTOS, DE COLOR CREMA.

UACARÍ CALVO

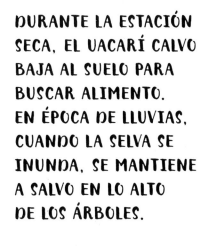

NOMBRE CIENTÍFICO:
Cacajao calvus
TIPO DE ALIMENTACIÓN:
omnívoro
LARGO: 57 centímetros
PESO: 2 o 3 kilos
HÁBITAT: selvas tropicales
de América del Sur
ESPERANZA DE VIDA:
entre 15 y 20 años

Si alguna vez te encuentras con una **carita roja y calva** que te observa desde las profundidades de la selva, tal vez pienses que estás frente a un **nomo** burlón. Pero los nomos solo existen en los cuentos de hadas, ¡así que lo más probable es que te hayas topado con un uacarí calvo!

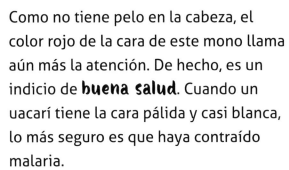

Como no tiene pelo en la cabeza, el color rojo de la cara de este mono llama aún más la atención. De hecho, es un indicio de **buena salud**. Cuando un uacarí tiene la cara pálida y casi blanca, lo más seguro es que haya contraído malaria.

DURANTE LA ESTACIÓN SECA, EL UACARÍ CALVO BAJA AL SUELO PARA BUSCAR ALIMENTO. EN ÉPOCA DE LLUVIAS, CUANDO LA SELVA SE INUNDA, SE MANTIENE A SALVO EN LO ALTO DE LOS ÁRBOLES.

DRAGÓN VOLADOR

NOMBRE CIENTÍFICO:

Draco volans

TIPO DE ALIMENTACIÓN:

insectívoro

LARGO: *19,5 centímetros (machos) / 21 centímetros (hembras)*

HÁBITAT:

selvas tropicales de Asia

ESPERANZA DE VIDA: *se desconoce*

En Asia existe un pequeño **reptil** que puede **volar**: este pequeño dragón se arroja al vacío desde las copas de los árboles y, suspendido en el aire, planea a lo largo de varias decenas de metros.

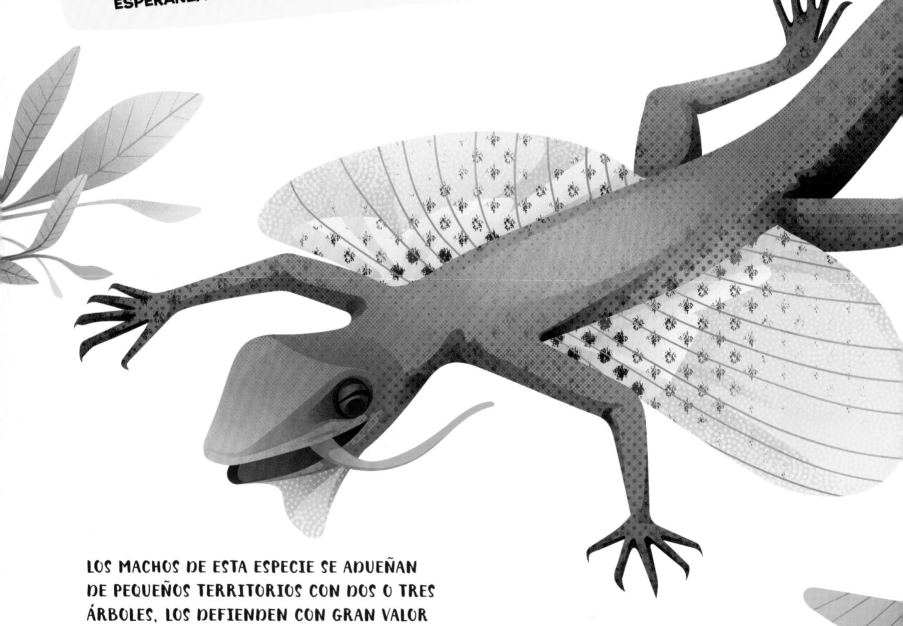

LOS MACHOS DE ESTA ESPECIE SE ADUEÑAN DE PEQUEÑOS TERRITORIOS CON DOS O TRES ÁRBOLES, LOS DEFIENDEN CON GRAN VALOR Y EXPULSAN DE ELLOS A SUS POSIBLES RIVALES.

El dragón volador puede planear en el aire gracias a su peculiar anatomía.

A la primera señal de peligro, **las costillas** de este pequeño reptil se abren y se expanden, y la **membrana** que las recubre se despliega y adopta una forma parecida a unas alas. ¡El dragón está listo para emprender la fuga aérea!

ESQUEMA DE
LAS COSTILLAS

ARMADILLO

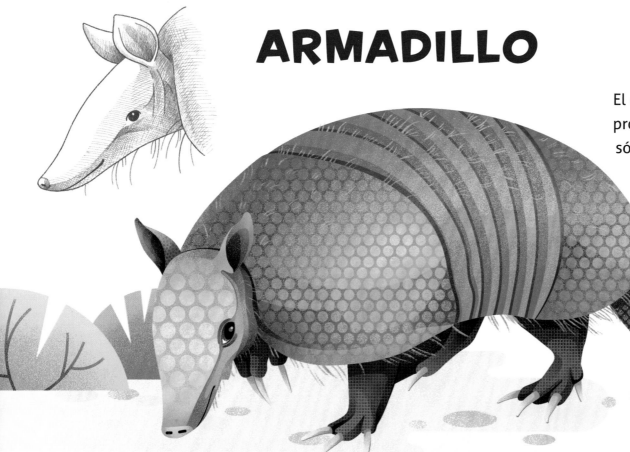

El cuerpo del armadillo está protegido por una **armadura** sólida y robusta que nada tiene que envidiar a la de los guerreros medievales. De ella tan solo sobresalen una **larga cola**, una pequeña cabeza con un hocico puntiagudo y cuatro garras muy fuertes que le permiten excavar agujeros en la tierra.

NOMBRE CIENTÍFICO:
Dasypus novemcinctus
TIPO DE ALIMENTACIÓN: insectívoro
LARGO: 60 centímetros sin contar la cola, que puede medir hasta 50 centímetros
PESO: entre 5 y 10 kilos
HÁBITAT: selvas tropicales, praderas, semidesiertos
ESPERANZA DE VIDA: entre 10 y 12 años

LA ARMADURA DEL ARMADILLO SE COMPONE DE UNAS ESCAMAS MUY DURAS QUE LE CUBREN TODA LA ESPALDA Y FORMAN PLACAS SUPERPUESTAS.

Se suele pensar que el armadillo, para protegerse, es capaz de cerrarse sobre sí mismo como si fuera una pelota. En realidad, solo hay una especie de armadillo que puede hacerlo: el **armadillo brasileño de tres bandas**.

PANGOLÍN GIGANTE

NOMBRE CIENTÍFICO:
Manis gigantea

TIPO DE ALIMENTACIÓN:
insectívoro

LARGO: 1 metro, sin contar la cola, que puede medir hasta 70 centímetros

PESO: 35 kilos

HÁBITAT: bosques y sabanas

ESPERANZA DE VIDA: 10 años

Se suele describir a este animal como a un oso hormiguero con escamas. En efecto, el pangolín gigante tiene casi todo el cuerpo cubierto por una capa de **escamas muy duras**, y una **lengua sumamente larga** con la que atrapa termitas y hormigas después de escarbar los hormigueros con las garras.

PARA PROTEGERSE EL VIENTRE, PUEDE DOBLARSE SOBRE SÍ MISMO Y FORMAR UNA PELOTA PRÁCTICAMENTE INDESTRUCTIBLE.

Las escamas del pangolín se componen de **queratina**, el mismo material que forma el pelo y las uñas de los seres humanos, el cuerno de los rinocerontes o las barbas de las ballenas. El pangolín tiene todo el cuerpo recubierto de escamas, a excepción del vientre.

PUEDE DEFENDERSE DE LOS DEPREDADORES EMPLEANDO LA COLA, CUYAS ESCAMAS TIENEN EL BORDE MUY AFILADO.

¡TAMBIÉN EXPULSA UN LÍQUIDO NAUSEABUNDO QUE AHUYENTA A SUS ENEMIGOS!

OSO HORMIGUERO

NOMBRE CIENTÍFICO:
Myrmecophaga tridactyla
TIPO DE ALIMENTACIÓN:
insectívoro
LARGO: *2,2 metros*
PESO: *40 kilos*
HÁBITAT: *praderas y selvas tropicales*
ESPERANZA DE VIDA: *16 años*

Dentro de este asombroso hocico, cabe una de las **lenguas más largas** que existen en el mundo animal.

Por si esto fuera poco, la lengua del oso hormiguero se cuenta también entre las **más rápidas**: ¡entra y sale de la boca más de 150 veces por minuto! Esta capacidad de moverse a gran velocidad permite al oso **succionar** multitud de insectos sin peligro de que le piquen.

LA LENGUA, ESTRECHA Y PEGAJOSA, ESTÁ RECUBIERTA DE PEQUEÑAS ESPINAS.

LA HEMBRA DE OSO HORMIGUERO TRANSPORTA A SU CRÍA SOBRE EL LOMO DURANTE 6 MESES PARA PROTEGERLA DE LOS DEPREDADORES.

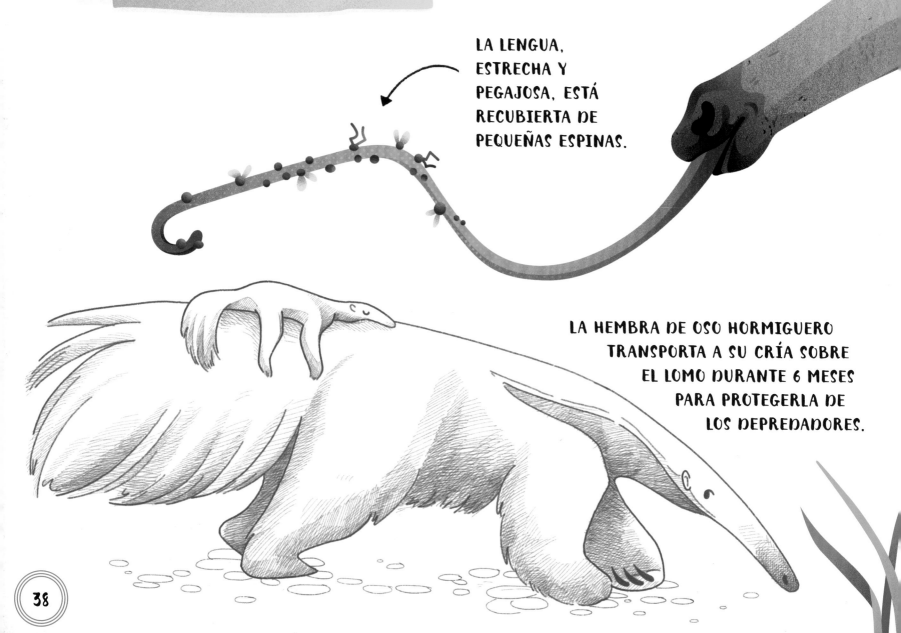

La lengua está recubierta de pequeñas espinas, hecho que le permite atrapar una gran cantidad de hormigas y termitas. Como el oso hormiguero carece de dientes no puede masticar, de modo que aplasta los insectos contra el **paladar**.

¡LA LENGUA ENTRA Y SALE DE LA BOCA MÁS DE 150 VECES POR MINUTO!

150 ~~100~~ ~~112~~

TOPO DE NARIZ ESTRELLADA

Si alguna vez te cruzas con un topo de nariz estrellada, lo más probable es que te preguntes si se trata de un **ser real o imaginario**...

SE DIRÍA QUE ESTE ANIMAL, EN LUGAR DE NARIZ, ¡TIENE UN PULPO!

El hocico de este topo es realmente extraño, pero cumple su función: le ayuda encontrar **comida** bajo tierra a pesar de que es un animal casi ciego. La nariz está formada por 22 tentáculos en movimiento, cuya misión no es olfatear, sino explorar. Con estos tentáculos puede tantear hasta **12 puntos diferentes en un segundo**.

NOMBRE CIENTÍFICO:
Condylura cristata
TIPO DE ALIMENTACIÓN:
carnívoro
LARGO:
20 centímetros
PESO:
50 gramos
HÁBITAT: bosques, marismas, zonas húmedas, orillas de los ríos
ESPERANZA DE VIDA:
3 o 4 años

EL HOCICO ESTÁ FORMADO POR 22 TENTÁCULOS QUE LO AYUDAN A «VER», YA QUE ESTE TOPO ES CASI CIEGO.

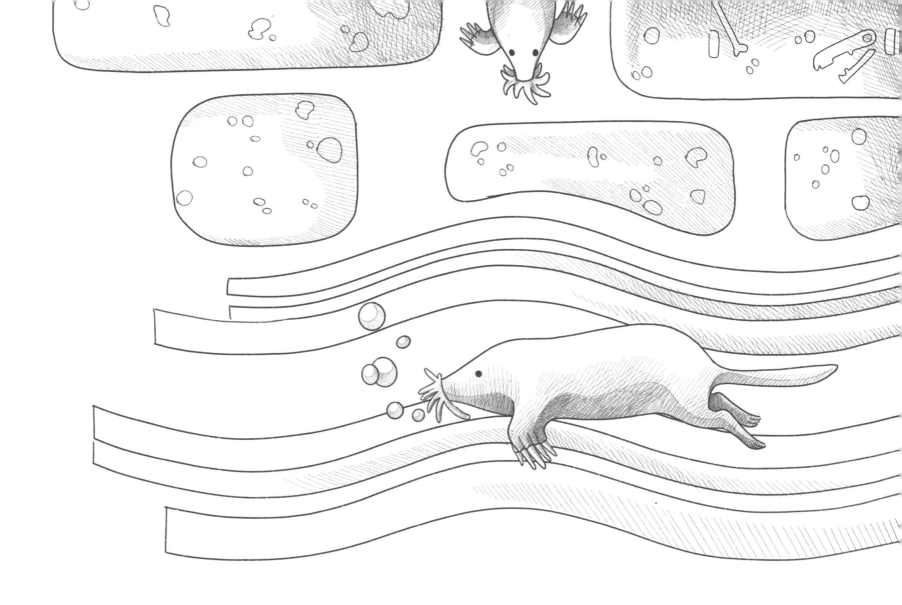

¡CANTIDAD DE PRESAS
POR SEGUNDO!

EL TOPO DE NARIZ ESTRELLADA ES EL
MAMÍFERO QUE COME MÁS RÁPIDO DE
TODOS. ES CAPAZ DE IDENTIFICAR UNA
PRESA, DECIDIR QUE ES COMESTIBLE
Y DEVORARLA EN 120 MILÉSIMAS DE
SEGUNDO.

DRAGÓN AZUL

Esta **babosa marina** es una maravilla de la naturaleza. Tiene **seis aletas** que se despliegan como alas cuando nada, y un hermoso color azul con franjas claras y negras.

NOMBRE CIENTÍFICO:
Glaucus atlanticus
TIPO DE ALIMENTACIÓN:
carnívoro
LARGO: 3 centímetros
HÁBITAT: mares tropicales
ESPERANZA DE VIDA:
se desconoce

¡Ver cómo se mueve en el agua un dragón azul es un hermoso espectáculo! Se mantiene a flote gracias a una burbuja de aire que almacena en el interior del estómago. Visto desde arriba, el dragón muestra un intenso color **azul** muy parecido al del fondo marino. Visto desde abajo, en cambio, tiene un color **gris plateado** que se confunde con la brillante superficie del agua.

¡ATENCIÓN!
ESTE ANIMAL ES
MUY PELIGROSO.

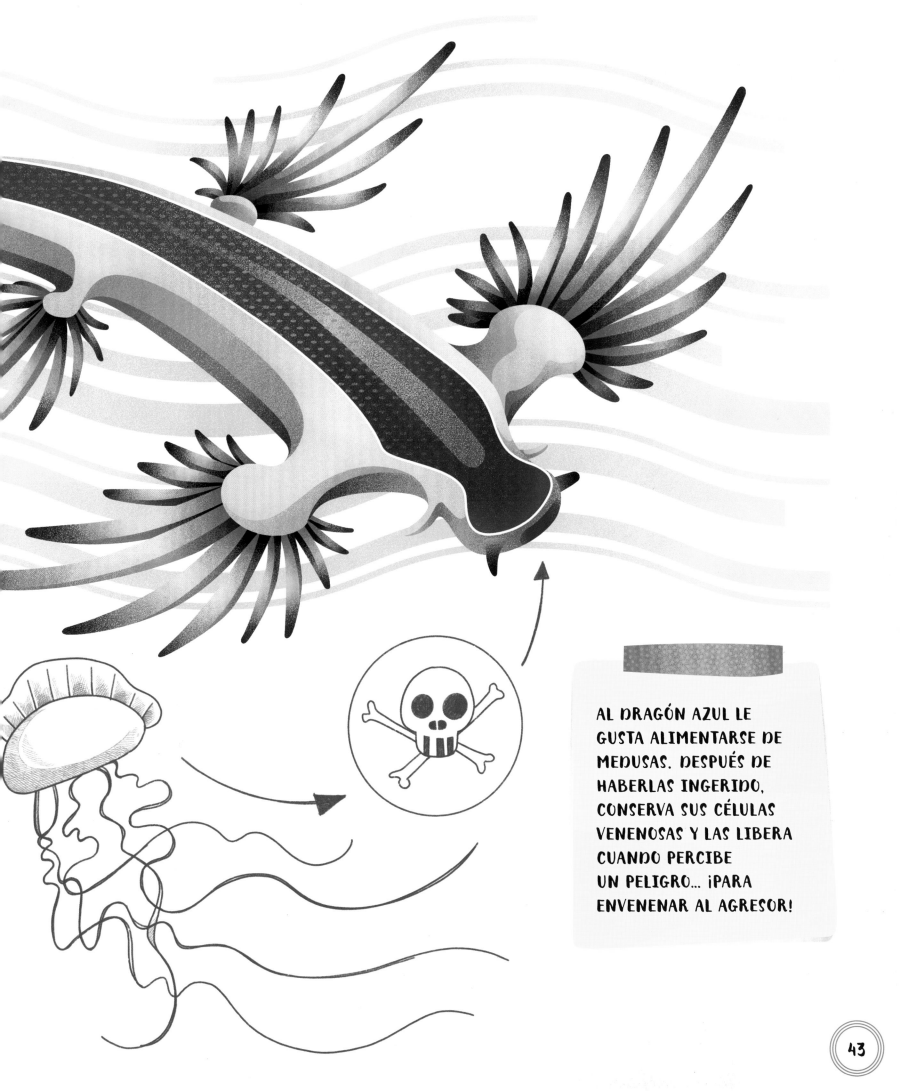

AL DRAGÓN AZUL LE GUSTA ALIMENTARSE DE MEDUSAS. DESPUÉS DE HABERLAS INGERIDO, CONSERVA SUS CÉLULAS VENENOSAS Y LAS LIBERA CUANDO PERCIBE UN PELIGRO... ¡PARA ENVENENAR AL AGRESOR!

ORNITORRINCO

El **ornitorrinco parece una extraña mezcla de varios animales**. Es un **mamífero** con la cola plana como la de un **castor** y el cuerpo alargado y peludo como el de una **nutria**, pero pone huevos, como las **aves**, y tiene patas palmeadas y pico de **pato**. Por si todo esto fuera poco, ¡el macho produce veneno, como las **serpientes**!

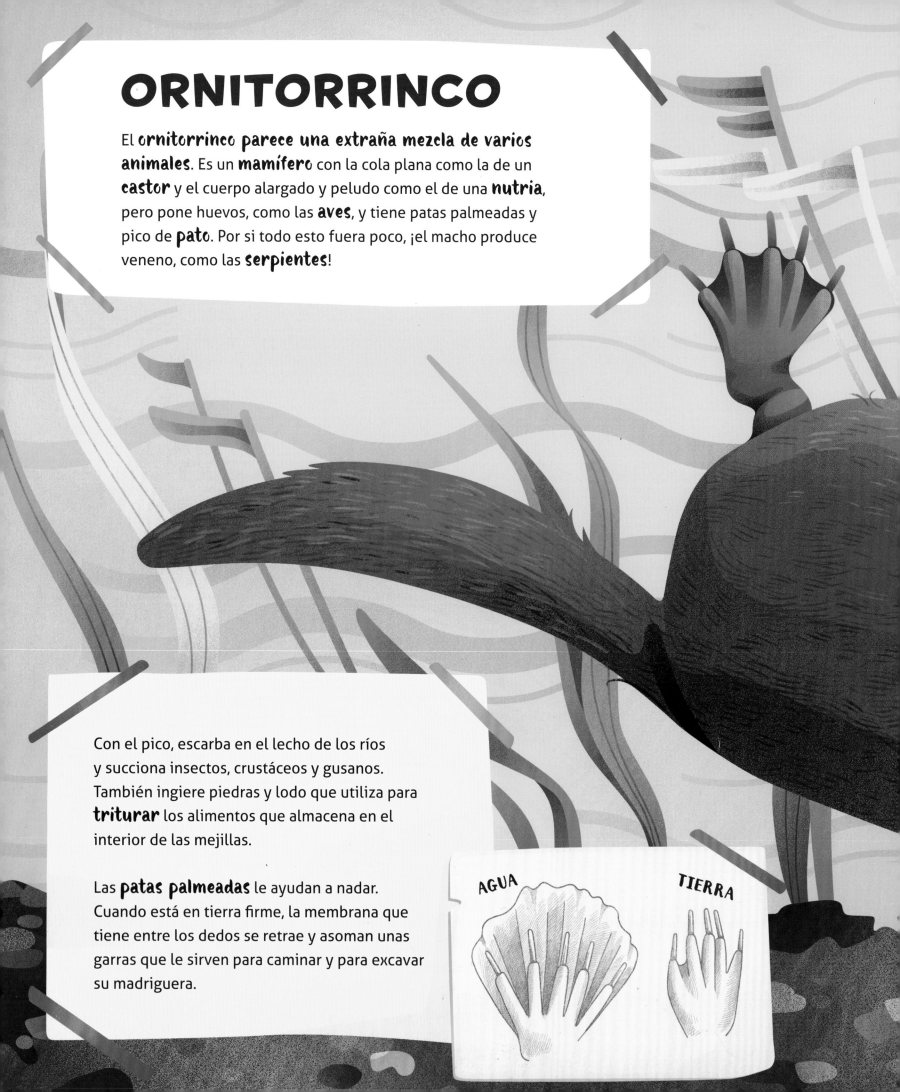

Con el pico, escarba en el lecho de los ríos y succiona insectos, crustáceos y gusanos. También ingiere piedras y lodo que utiliza para **triturar** los alimentos que almacena en el interior de las mejillas.

Las **patas palmeadas** le ayudan a nadar. Cuando está en tierra firme, la membrana que tiene entre los dedos se retrae y asoman unas garras que le sirven para caminar y para excavar su madriguera.

AGUA

TIERRA

LA PIEL DEL PICO ES LISA Y MUY SENSIBLE: LE PERMITE CAPTAR CUALQUIER MOVIMIENTO BAJO EL AGUA Y DESPLAZARSE CON MAYOR SEGURIDAD.

NOMBRE CIENTÍFICO:
Ornithorhynchus anatinus

TIPO DE ALIMENTACIÓN: *carnívoro*

LARGO: *40 centímetros, sin contar la cola, que puede medir hasta 15 centímetros*

PESO: *1,5 kilos*

HÁBITAT: *ambientes húmedos*

ESPERANZA DE VIDA: *17 años*

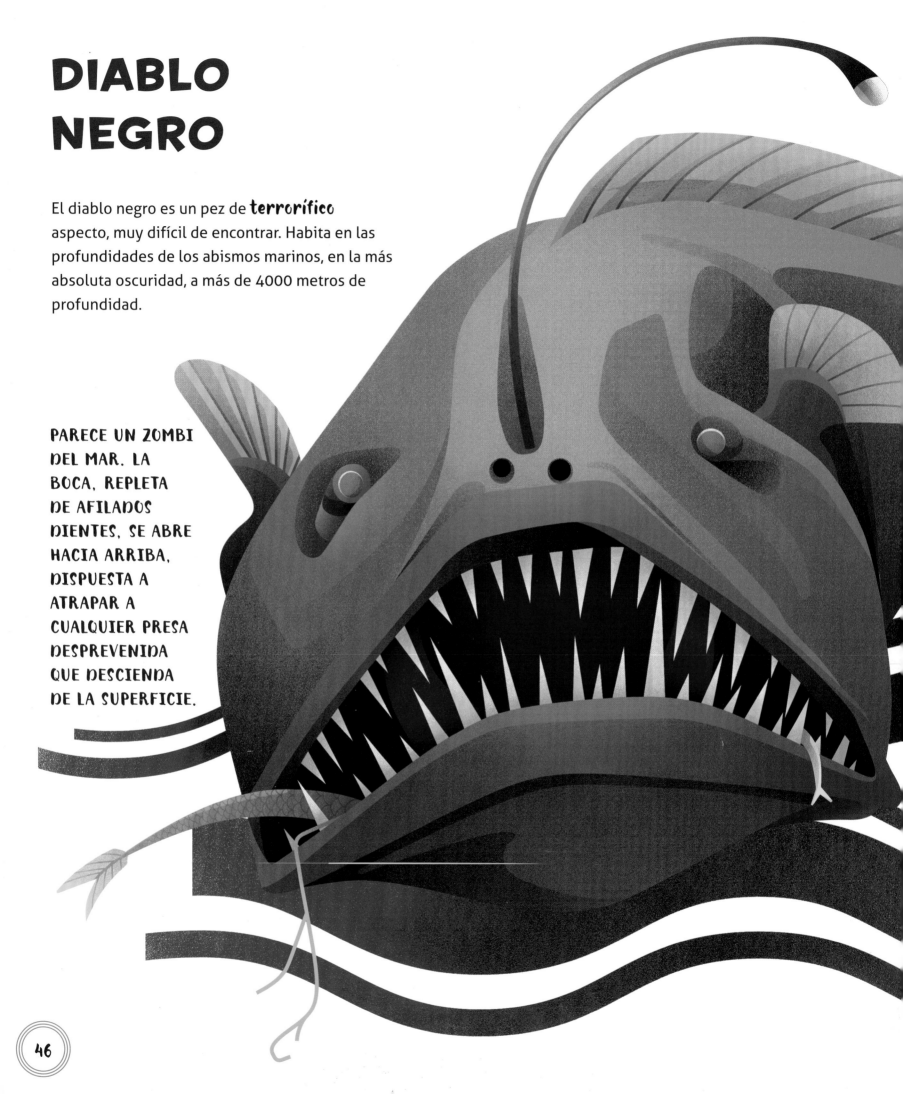

DIABLO NEGRO

El diablo negro es un pez de **terrorífico** aspecto, muy difícil de encontrar. Habita en las profundidades de los abismos marinos, en la más absoluta oscuridad, a más de 4000 metros de profundidad.

PARECE UN ZOMBI DEL MAR. LA BOCA, REPLETA DE AFILADOS DIENTES, SE ABRE HACIA ARRIBA, DISPUESTA A ATRAPAR A CUALQUIER PRESA DESPREVENIDA QUE DESCIENDA DE LA SUPERFICIE.

UTILIZA LA ANTENA COMO UN ANZUELO.

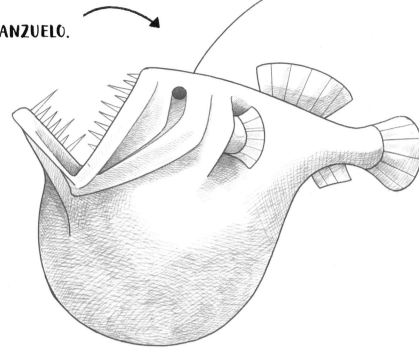

Para poder sobrevivir en este ambiente, los peces abisales tienen una **boca** y un **estómago** muy grandes, hecho que les permite atrapar y tragar todo lo que encuentran.

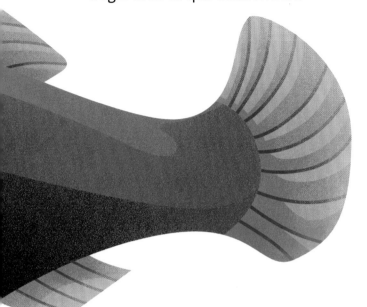

Además, las hembras tienen una **antena en el lomo** que se balancea suavemente. El extremo de esta antena está lleno de **bacterias** que emiten luz propia por efecto de la luminiscencia: ¡es un **anzuelo perfecto para las presas**!

LOS MACHOS SON MUCHO MÁS PEQUEÑOS QUE LAS HEMBRAS Y NO SON DEPREDADORES. CUANDO ENCUENTRAN UNA PAREJA NO SE SEPARAN DE ELLA, Y PERMANECEN A SU DISPOSICIÓN PARA FECUNDAR LOS HUEVOS.

NOMBRE CIENTÍFICO:
Melanocetus johnsonii
TIPO DE ALIMENTACIÓN:
carnívoro
LARGO: *18 centímetros (hembras) / 3 centímetros (machos)*
HÁBITAT: *abismos marinos*
ESPERANZA DE VIDA:
se desconoce

TENREC RAYADO

NOMBRE CIENTÍFICO:
Hemicentetes semispinosus

TIPO DE ALIMENTACIÓN:
insectívoro

LARGO: *16,5 centímetros*

PESO: *200 gramos*

HÁBITAT: *selvas tropicales de Madagascar*

ESPERANZA DE VIDA: *2,5 años*

En Madagascar vive un **ratón** de aspecto desaliñado y **hocico puntiagudo**: el tenrec. Mientras recorre el terreno, el tenrec devora los insectos y lombrices que encuentra entre las hojas secas.

El cuerpo de este ratón es de color negro con rayas amarillas, y los costados y el lomo están cubiertos de púas que le sirven para protegerse, pero también para comunicarse: cuando las frota entre sí produce un **sonido** que captan los miembros de su especie incluso cuando están **bajo tierra**.

ESTOS PEQUEÑOS MAMÍFEROS VIVEN EN FAMILIAS DE MÁS DE 20 EJEMPLARES QUE COMPARTEN UNA MISMA MADRIGUERA SUBTERRÁNEA.

JERBO DE OREJAS LARGAS

Aunque podría parecer un canguro en miniatura que salta por el desierto, el jerbo de orejas largas es, en realidad, un pequeño **roedor nocturno** que merodea en busca de **insectos**.

Como vive en el **desierto**, es fundamental que pueda percibir incluso los ruidos más leves, tanto para detectar a sus presas como para escapar de los depredadores. ¡Esto explica que tenga las orejas tan grandes!

En la parte inferior de las largas patas traseras tiene unas **cerdas** muy rígidas que impiden que se hunda en la arena. La **cola** del jerbo mide el doble que el cuerpo, y le ayuda a mantener el equilibrio cuando salta.

NOMBRE CIENTÍFICO:
Euchoreutes naso
TIPO DE ALIMENTACIÓN:
insectívoro
LARGO: *8 centímetros sin contar la cola, que mide más de 16 centímetros*
PESO: *38 gramos*
HÁBITAT: *desiertos de China y Mongolia*
ESPERANZA DE VIDA:
2 años

LONGITUD DE LAS OREJAS:
4,5 centímetros

TIENE UNAS GRANDES OREJAS... ¡PARA OÍRTE MEJOR!

Estos animales, por lo general, se desplazan dando **saltos** de hasta doce centímetros de altura.

LONGITUD DE LAS PATAS:
casi 5 centímetros

CUANDO HUYEN DE UN DEPREDADOR PUEDEN SALTAR HASTA 3 METROS Y ALCANZAR UNA VELOCIDAD DE MÁS DE 20 KILÓMETROS POR HORA.

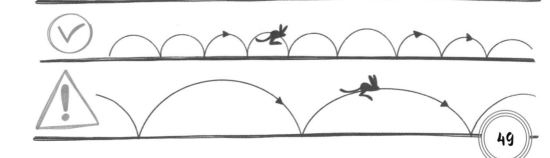

49

PEZ MURCIÉLAGO DE LABIOS ROJOS

Este pez con **labios** de color rojo brillante no pasa desapercibido. Suele permanecer bajo el agua, inmóvil y con la cara enfurruñada, y lo cierto es que no nada demasiado bien: prefiere desplazarse dando pequeños **saltos** sobre **el fondo del mar**, apoyado sobre las aletas pectorales.

NOMBRE CIENTÍFICO:
Ogcocephalus darwini
TIPO DE ALIMENTACIÓN:
carnívoro
LARGO: 15 centímetros
HÁBITAT:
fondo del mar
ESPERANZA DE VIDA:
12 años

TIENE EL HOCICO LARGO Y GRANDES ALETAS PECTORALES.

Cuando llega la época de la reproducción, los vistosos labios de estos peces les ayudan a **reconocerse** entre sí en medio de la oscuridad que impera en las profundidades marinas. No existe ningún otro pez con una característica semejante, así que ¡no hay equivocación posible!

SUS GRANDES ALETAS PECTORALES PARECEN LAS ALAS DE UN MURCIÉLAGO.

Debajo del largo **hocico** esconde un pequeño **tentáculo** que le sirve de anzuelo para atraer a los peces, que entran directamente dentro de su **boca**. Esta, aunque parece pequeña, ¡es **capaz de abrirse mucho**!

PEZ GLOBO

NOMBRE CIENTÍFICO:
Tetraodontidae
TIPO DE ALIMENTACIÓ:
omnívoro
LARGO: *de 6 a 130 centímetros*
HÁBITAT: *mares tropicales y subtropicales*
ESPERANZA DE VIDA: *10 años*

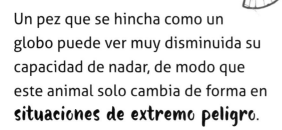

Un pez que se hincha como un globo puede ver muy disminuida su capacidad de nadar, de modo que este animal solo cambia de forma en **situaciones de extremo peligro.**

La piel del pez globo carece de púas, pero es extremadamente resistente y elástica.

EL PEZ GLOBO ES UNO DE LOS ANIMALES MÁS VENENOSOS DEL MUNDO: SU CUERPO CONTIENE UNA TOXINA QUE RESULTA MORTAL INCLUSO PARA LOS SERES HUMANOS. A PESAR DE ELLO, LA CARNE DE ESTA ESPECIE SE CONSIDERA TODO UN MANJAR. LA TOXINA LETAL ÚNICAMENTE SE ENCUENTRA EN ALGUNAS PARTES DEL PEZ, Y ¡SOLO LOS COCINEROS MÁS EXPERTOS SABEN COCINARLO DE FORMA CORRECTA!

PEZ ERIZO

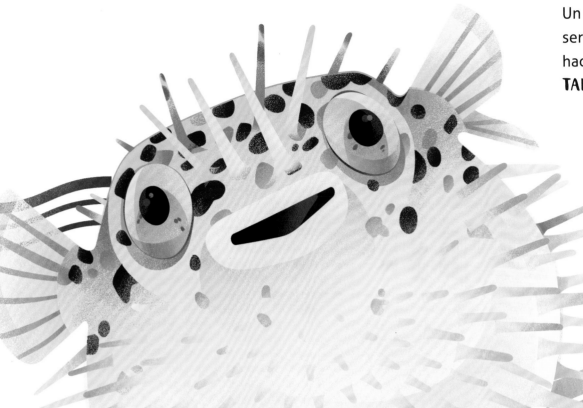

Un pececillo indefenso está a punto de ser atacado por un depredador. ¿Qué hace? ¡SE **HINCHA Y TRIPLICA SU TAMAÑO**!

Durante esta transformación, las escamas que le cubren el cuerpo se ponen de punta y se convierten en peligrosas púas de 5 centímetros de largo.

¡AHORA ES REALMENTE DIFÍCIL COMERSE A ESTE PEZ!

¿CÓMO CONSIGUE HINCHARSE? TRAGA AGUA O AIRE Y LLENA UNA PEQUEÑA CAVIDAD QUE TIENE EN EL INTERIOR DEL ESTÓMAGO.

El pez erizo tiene una boca muy robusta que le sirve para romper la concha y el caparazón de moluscos, corales y crustáceos.

NOMBRE CIENTÍFICO:
Diodon hystrix
TIPO DE ALIMENTACIÓN:
omnívoro
LARGO: *hasta 50 centímetros*
HÁBITAT: *mares tropicales y subtropicales*
DURACIÓN DE LA VIDA: *10 años*

MANTIS RELIGIOSA

La mantis religiosa es un insecto de largo cuello y mirada hipnótica que mantiene una característica postura erguida. Podría parecer, a primera vista, un ser dulce y apacible.

Las patas de la mantis están flexionadas y muy juntas entre sí, como si estuviera rezando.

Pero... ¡es una trampa!

LAS PATAS SON LETALES.

En realidad, se trata de una experta depredadora que tiende emboscadas a sus presas y las ataca con finos golpes, como si practicara **artes marciales**. Sus patas son verdaderas **armas mortales**.

LA MANTIS TIENE UNA EXCELENTE ESTRATEGIA DE DEFENSA: CUANDO HACE VIBRAR LAS ALAS EMITE UN SONIDO TAN SIMILAR AL SILBIDO DE UNA SERPIENTE... ¡QUE ASUSTA A SUS ATACANTES!

Las hembras de mantis religiosa son célebres por llevar a cabo un **macabro ritual**: al finalizar el apareamiento, ¡**devoran al macho** de su misma especie!

Con esta acción tan sorprendente, la hembra se asegura una buena reserva de proteínas para estar sana y fuerte cuando llegue el momento de poner los huevos.

ENTRE LAS NUMEROSAS HABILIDADES DE LA MANTIS, SE ENCUENTRA LA DE PODER GIRAR LA CABEZA 180 GRADOS. TIENE UN CUELLO EXTREMADAMENTE FLEXIBLE, Y ESTA CARACTERÍSTICA LE PERMITE VER INCLUSO LO QUE OCURRE A SUS ESPALDAS.

¡MANTIS AL ATAQUE!

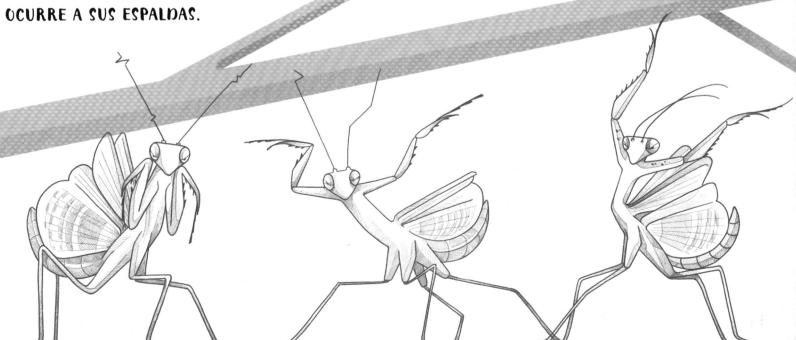

GECKO SATÁNICO

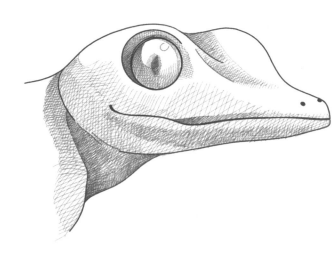

NOMBRE CIENTÍFICO:
Uroplatus phantasticus
TIPO DE ALIMENTACIÓN:
carnívoro
LARGO: *15 centímetros*
PESO: *9 gramos*
HÁBITAT: *selvas tropicales*
ESPERANZA DE VIDA:
9 años

A pesar de su nombre, el gecko satánico es un animal muy dócil y muy poco común: solo vive en **Madagascar**.

La **cola** en forma de hoja y el color marrón y verdoso de la piel hacen de este animalillo un campeón en el arte de esconderse.

Tiene unos enormes ojos de color rojizo, y dos protuberancias en la parte superior de la cabeza que parecen pequeños cuernos (de ahí que lo llamen «**satánico**»).

CUANDO SE SIENTE AMENAZADO, ABRE MUCHO LA BOCA, SE YERGUE SOBRE LAS PATAS Y EMITE UN SONORO SILBIDO CONTRA SU ADVERSARIO.

OTRAS VECES, PARA CONFUNDIR, SE DESPRENDE DE LA COLA Y SALE CORRIENDO.

ESFINGE DE LA CALAVERA AFRICANA

El Antiguo Egipto nada tiene que ver con este curioso insecto: la esfinge que estás observando es una **mariposa nocturna**. Su nombre alude al singular dibujo que tiene en el lomo, muy parecido al de una **calavera**. Aunque no es un insecto peligroso, este aspecto peculiar le ha dado fama, desde tiempos antiguos, de portadora de desgracias...

NOMBRE CIENTÍFICO:
Acherontia atropos
TIPO DE ALIMENTACIÓN:
néctar y miel
ENVERGADURA: *13 centímetros*
PESO: *1,5 gramos*
HÁBITAT: *tierras de labranza*
ESPERANZA DE VIDA: *1 mes y medio (en estado de mariposa)*

DIBUJO EN FORMA DE CALAVERA

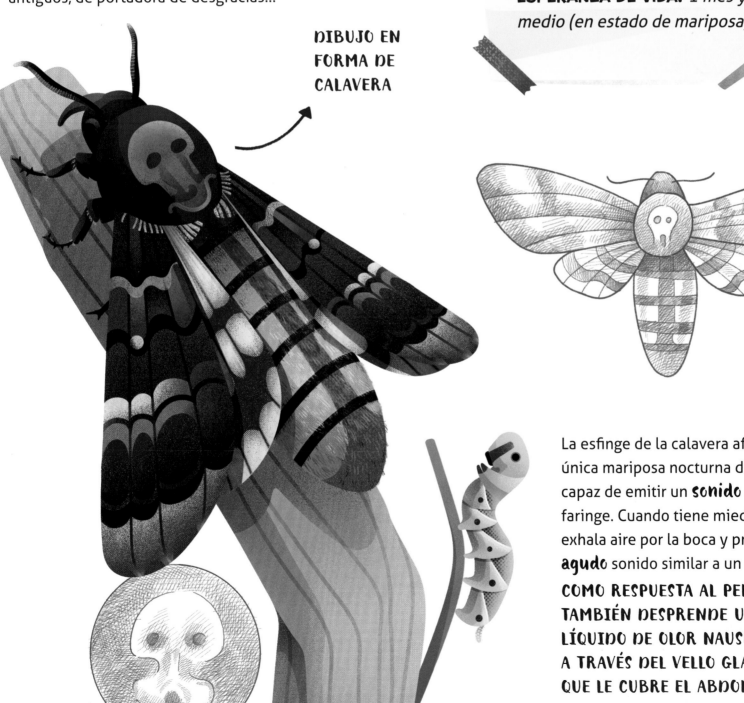

La esfinge de la calavera africana es la única mariposa nocturna del mundo capaz de emitir un **sonido** con la faringe. Cuando tiene miedo, inhala y exhala aire por la boca y produce un **agudo** sonido similar a un chillido. COMO RESPUESTA AL PELIGRO, TAMBIÉN DESPRENDE UN LÍQUIDO DE OLOR NAUSEABUNDO A TRAVÉS DEL VELLO GLANDULAR QUE LE CUBRE EL ABDOMEN.

POLILLA ROSADA DEL ARCE

Algunas **mariposas nocturnas** son muy coloridas. Es el caso de la polilla rosada del arce, que con los vistosos colores de las alas imita las hojas de su planta favorita y parece una delicada flor de primavera. Además, es tan **peluda** que se asemeja a una bolita de algodón.

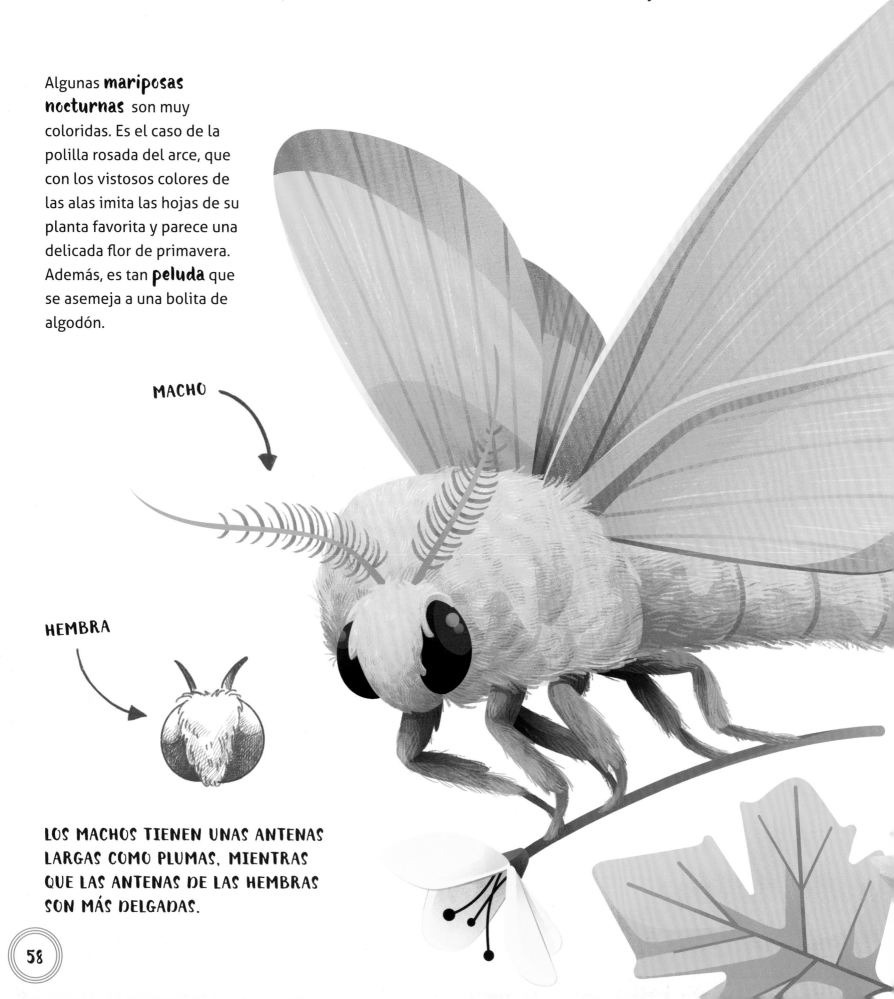

MACHO

HEMBRA

LOS MACHOS TIENEN UNAS ANTENAS LARGAS COMO PLUMAS, MIENTRAS QUE LAS ANTENAS DE LAS HEMBRAS SON MÁS DELGADAS.

Los machos usan las antenas para captar las **feromonas**, una sustancia que segregan las hembras en busca de pareja y que impregna el aire.

NOMBRE CIENTÍFICO:
Dryocampa rubicunda
TIPO DE ALIMENTACIÓN: *néctar*
ENVERGADURA: *entre 3 y 5 centímetros*
LARGO: *entre 3 y 5 centímetros*
HÁBITAT: *bosques templados*
ESPERANZA DE VIDA: *hasta 9 meses*

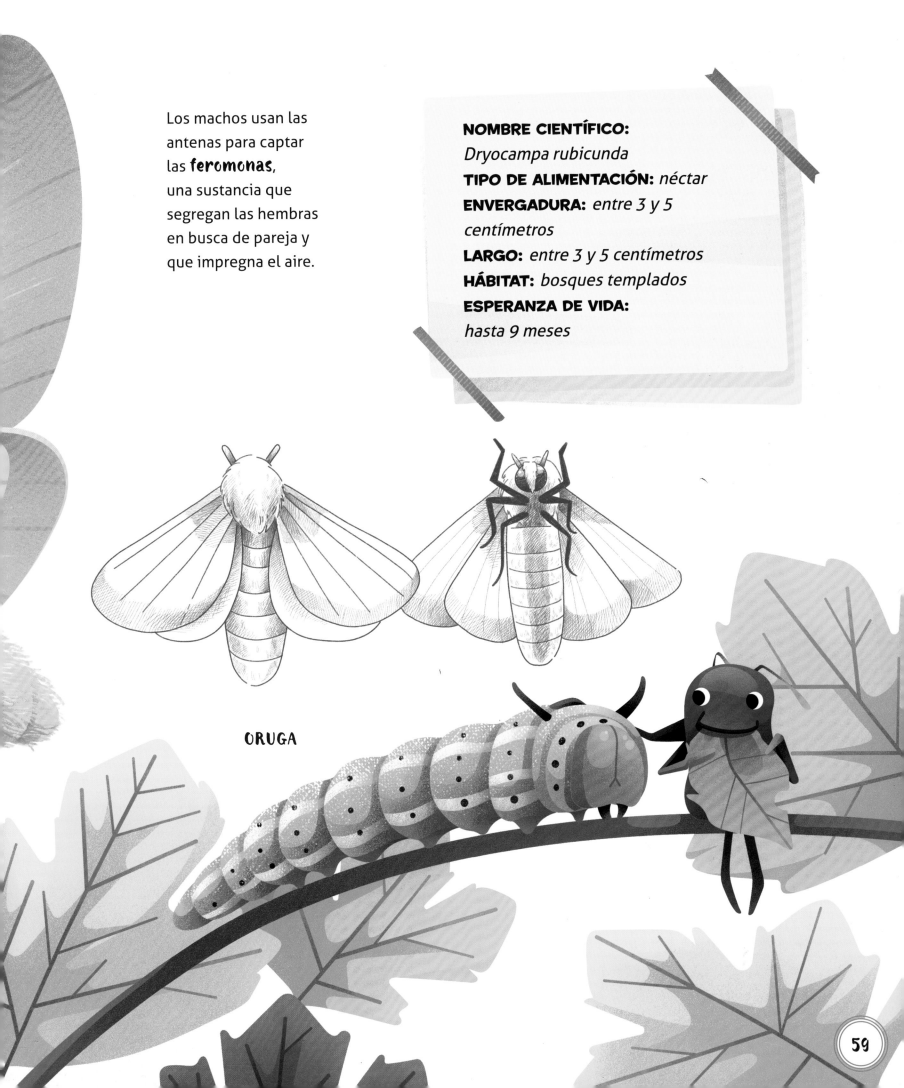

ORUGA

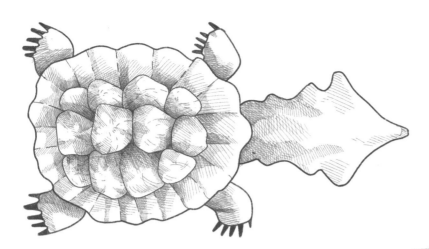

TORTUGA MATA MATA

Tiene caparazón de **tortuga**, pero su cuello larguísimo más bien nos recuerda a una **serpiente**.

Se **camufla** a la perfección en el fondo de las charcas, a la espera de que pase un pez. Entonces, veloz como un rayo, ¡lo succiona con la enorme **boca**!

NOMBRE CIENTÍFICO:
Chelus fimbriata

TIPO DE ALIMENTACIÓN:
carnívoro

LARGO:
45 centímetros

PESO: 15 kilos

HÁBITAT:
ambientes húmedos

ESPERANZA DE VIDA: 35 años

El aspecto de este reptil es **inquietante**: tiene la cabeza muy grande, y la piel del cuello arrugada y llena de protuberancias que ondulan en el agua, de modo que parece una piedra cubierta de **algas**. El caparazón está formado por placas en forma de **pirámide**.

LA NARIZ DE LA TORTUGA MATA MATA ES MUY ALARGADA Y FORMA UNA ESPECIE DE TUBO DE BUCEO QUE LE PERMITE RESPIRAR INCLUSO CUANDO ESTÁ TUMBADA EN EL LECHO DE LAS CHARCAS Y CIÉNAGAS, DONDE PASA LA MAYOR PARTE DEL TIEMPO.

HOACÍN

El hoacín es un ave majestuosa y elegante que esconde un **secreto**: ¡tiene **garras** en las alas! Este insólito atributo, que pierde cuando alcanza la edad adulta, podría servir para demostrar el estrecho parentesco que existe entre las aves y los **dinosaurios**.

En algunos lugares, el hoacín es conocido como «**pava hedionda**». El estómago de este pájaro contiene unas bacterias que destruyen la celulosa de las hojas que ingiere, después de fermentarlas durante 45 horas. El proceso de descomposición desprende un olor muy parecido al estiércol, que aleja a los posibles depredadores.

Los machos usan las antenas para captar las **feromonas**, una sustancia que segregan las hembras en busca de pareja y que impregna el aire.

NOMBRE CIENTÍFICO: *Dryocampa rubicunda*
TIPO DE ALIMENTACIÓN: *néctar*
ENVERGADURA: *entre 3 y 5 centímetros*
LARGO: *entre 3 y 5 centímetros*
HÁBITAT: *bosques templados*
ESPERANZA DE VIDA: *hasta 9 meses*

ORUGA

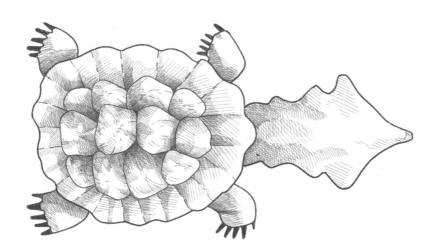

TORTUGA MATA MATA

Tiene caparazón de **tortuga**, pero su cuello larguísimo más bien nos recuerda a una **serpiente**.

Se **camufla** a la perfección en el fondo de las charcas, a la espera de que pase un pez. Entonces, veloz como un rayo, ¡lo succiona con la enorme **boca**!

NOMBRE CIENTÍFICO:
Chelus fimbriata

TIPO DE ALIMENTACIÓN:
carnívoro

LARGO:
45 centímetros

PESO: *15 kilos*

HÁBITAT:
ambientes húmedos

ESPERANZA DE VIDA: *35 años*

El aspecto de este reptil es **inquietante**: tiene la cabeza muy grande, y la piel del cuello arrugada y llena de protuberancias que ondulan en el agua, de modo que parece una piedra cubierta de **algas**. El caparazón está formado por placas en forma de **pirámide**.

El hoacín construye su **nido** en las copas de los árboles que crecen a orillas de los **ríos**. Cuando se sienten amenazados por un depredador, los polluelos de hoacín se arrojan al agua y, una vez ha pasado el peligro, **trepan** por los troncos con ayuda de las pequeñas **garras** que tienen en las alas y regresan al nido.

CUANDO APRENDEN A VOLAR PIERDEN LAS GARRAS: YA NO LAS NECESITARÁN MÁS.

NOMBRE CIENTÍFICO:
Opisthocomus hoazin
TIPO DE ALIMENTACIÓ:
herbívoro
LARGO:
60 centímetros
PESO:
entre 700 y 900 gramos
HÁBITAT:
selvas tropicales de América del Sur
ESPERANZA DE VIDA:
30 años

ROSSELLA TRIONFETTI

Nació en 1984, y ya en su niñez demostró un gran interés por el dibujo, pues tenía la costumbre de frecuentar bibliotecas y librerías en busca de libros ilustrados sobre animales. Tras diplomarse en Artes Aplicadas, se especializó en ilustración y diseño gráfico, y asistió a diversos cursos con profesionales del sector para ampliar su formación. Actualmente trabaja como ilustradora de libros infantiles y colabora en la creación de aplicaciones y juegos interactivos.

CRISTINA BANFI

Graduada en Ciencias Naturales por la Universidad de Milán, ha impartido clases en varios centros educativos. Desde hace veinte años se dedica a la divulgación científica y a la enseñanza a través del juego. También ha colaborado con varias editoriales, tanto en el campo académico como en el educativo, y en especial en el sector infantil y juvenil.

Diseño gráfico
Valentina Figus

VV kids

La edición original de este libro ha sido creada y publicada por White Star, s.r.l. Piazzale Luigi Cadorna, 6. 20123 Milan-Italy. www.whitestar.it

White Star Kids® es una marca registrada propiedad de White Star s.r.l.
© 2020 White Star s.r.l.
© 2020 EDITORIAL VICENS VIVES, S.A. Sobre la presente edición.

Depósito Legal: B. 22.999-LXII
ISBN: 978-84-682-7067-8
Nº de Orden V.V.: NZ26

Traducción española de Alejandra Devoto.